La cultura Rastafari en Cuba

La cultura Rastafari en Cuba

Samuel Furé Davis

Santiago de Cuba, 2010

Edición: Orestes Solís Yero
Diseño: Orlando Hechavarría Ayllón
Composición digitalizada: Abel Sánchez Medina

ISBN 978-959-11-0648-3
INSTITUTO CUBANO DEL LIBRO
Editorial Oriente
J. Castillo Duany No. 356
e/ Pío Rosado y Hartmann
Santiago de Cuba
E-mail: edoriente@cultstgo.cult.cu
www.cubaliteraria.com

A la memoria de mi madre

Índice

Mis agradecimientos

Muy especialmente a la familia de Timothy y Mabel Mullins.

A Ileana Sanz Cabrera, mi tutora de siempre, y a su esposo Javier Gilberto por sus lecciones de terminología musical.

A Anton Allahar, de la Universidad de Western Ontario; Dwaine Plaza, de la Universidad del estado de Ohio; Horace Henriques, de la Universidad de Toronto; Patrick Taylor, de la Universidad de York, Canadá, por los gratos momentos compartidos en medio del estrés profesional, por ofrecerme su amistad, estimularme constantemente y darme la posibilidad de confrontar estas ideas con los colegas de la Asociación de Estudios del Caribe.

A mis amigos Horace Campbell, Linden Lewis, Jorge Giovanetti y Guillermo Irizarri, por sus contribuciones bibliográficas, su voluntad solidaria, sus comentarios.

A Velma Pollard, Verónica Salter y Val Carnegie, quienes, desde Jamaica, con su insuperable ética y estímulo profesionales, pusieron a mi disposición publicaciones del Caribe.

A Faustino Medrazo, de la Dirección de Protocolo, y Michel Fernández y Sergio Oliva, de la Dirección de América Latina y Caribe en el MINREX, quienes en un momento clave facilitaron mis pesquisas.

A Ulises Estrada, Otto Marrero y Frank González, quienes no vacilaron en dedicarme parte de su tiempo para cooperar con su experiencia acumulada como diplomáticos de Cuba en Jamaica.

A Domingo Novo, de la Gerencia Comercial de BIS Music.

A Jan de Cosmo, Richard Salter, Michael Barnett, Jake Homiak y todo el equipo de investigaciones sobre Rastafari en el contexto global, por su interés sincero y reiterado en mi participación en los cinco paneles que se organizaron entre 1998 y 2002, durante las conferencias anuales de la American Academy of Religion en diferentes ciudades de los Estados Unidos de América. Que aquí también vaya mi modesto tributo a la memoria de Carole Yawney, quien en vida fuera miembro del mencionado equipo, y puso a mi alcance una numerosa y útil bibliografía, y sobre todo me demostró con su conocimiento, su dedicación y su extensa y prestigiosa obra publicada que Rastafari puede estudiarse seriamente desde dentro y sin falsos distanciamientos metodológicos o académicos. A pesar de que nunca se me permitió viajar para asistir a estos paneles, estos colegas hicieron posible por diversas maneras que yo estuviera siempre al tanto de sus resultados; fue como si hubiese estado presente.

A Myriam Cottias, de la Universidad de Antillas Guyana, por la organización del curso de verano de 1998, donde comenzó a madurar este proyecto. También a todos los colegas y profesores del curso con quienes lo debatí en esas sesiones.

Al inseparable equipo de Big It Up International, integrado por Dameion Royes, Che Rupari, Sam Chaiton, Terry Swinton, Kathy Swinton, Pauline, Natasha, Axel y otros, también a Afua Cooper y Lisa Tomlinson, todos ellos en Toronto, Canadá, y Marika Presiuzo en Londres, a todos por su gran amistad, apoyo material y solidaridad infinitas.

A Lázara Menéndez, Lino Neira, Mario Masvidal, Mario Hernández, Roberto Hernández Biosca, Ramón Cabrera y Raúl Navarro, del Instituto Superior de Arte (ISA), por sus valiosos comentarios y recomendaciones bibliográficas. También agradezco los oportunos señalamientos críticos de Yolanda Wood, Grisel Hernández y Virtudes Filiú en diferentes momentos de mi tesis de doctorado. Gracias también a Ana Cairo por sus sugerencias, especialmente útiles para terminar esta etapa de trabajo.

A Magaly Espinosa Delgado, por su acogida, su paciente disposición a ayudarme y sus oportunos comentarios y préstamos bibliográficos.

A los graduados de la Facultad de Lenguas Extranjeras de la Universidad de La Habana que pusieron interés en sus trabajos de curso sobre este tema durante los años de la investigación: Yilliana Montpellier, Harold Pérez, Líber Frómeta, David Vázquez, Boris Reyes, Omar Granados y la vietnamita Cao Thi Than.

A Zenaida, Loyda y Margarita, trabajadoras de servicio de la Facultad de Lenguas Extranjeras, y a Dulce, de la imprenta Abel Santamaría, por ayudarme de diversas maneras.

Y, por supuesto, a todos los Rastas, simpatizantes, y entrevistados durante estos diez años, con quienes compartí, e incluso conviví, cientos de horas. Esta lista sí sería larga.

*La investigación inicial sobre aspectos teóricos y metodológicos de los estudios culturales fue posible gracias a la Beca de Investigación Steve Biko, otorgada por el Consejo Inter-Universitario Flamenco y la Universidad Católica de Lovaina, Bélgica. Mi agradecimiento se extiende también y muy especialmente a Luisa Campuzano, de la Casa de las Américas, por proponerme participar en el concurso por esta beca; a muchos profesores y colegas, de los Departamentos de Estudios Culturales y Lenguas Romances en la Facultad de Letras de dicha universidad, especialmente a la Dra. Brigitte (*Bri*) Adrianesen, la Dra. Nadia Lie y su cálida familia, José (*Don Pepe*) Torres, Martijn Ramaekers, y a la Dra. Bénédicte Ledent, de la Universidad de Lieja, por sus contribuciones bibliográficas.*

Gracias al pintor y grabador Lester McCollins Springer (UNEAC, Las Tunas), por cederme el derecho a reproducir Buffalo Soldier *(óleo sobre lienzo, 2005) en la cubierta de este libro. Gracias a Yoel Adonis Martínez García por permitirme reproducir sus obras; también a Rodolfo A. Rensoli M. por su* Ras Cuba.

Introducción

Por esta época está de moda hacer un *making of* de toda obra cultural. Entonces, siguiendo aquí esa tradición importada del cine hollywoodense, he aquí algunos comentarios de cómo se llegó a este libro y qué pretendo con él.

¿Qué cosa es Rastafari? ¿Quién es un Rasta? En Cuba, estas y tantas otras preguntas eran muy comunes entre mis amigos, estudiantes y colegas cuando yo comenzaba con seriedad estos estudios en el verano de 1994. Para entonces, en muy contadas ocasiones habían aparecido estas palabras en letra impresa en español y mucho menos publicadas en Cuba. Por consiguiente, no existía unidad terminológica para referirnos en nestra lengua a un tema invisible tanto en la literatura especializada como en los medios de comunicación. Para las respuestas necesarias a esas preguntas, introduje hace varios años algunos criterios que explicaban las diferencias y las inexactitudes entre "Rastafari, "rastafarismo" y "rastafarianismo".[1] En aquella ocasión, utilicé "rasta" con minúscula como sustantivo; sin embargo, ahora sólo hago un cambio: el uso de la mayúscula, ya que con el mismo significado

[1] Los términos "Rastafari" y "Rasta" los utilizo indistintamente —con marcada preferencia hacia el primero— cuando se refieren al "converso", al creyente, al simpatizante o al practicante. Cuando se trata de la ideología o modo de vida, sólo se dice "Rastafari". Además, ocasionalmente, utilizo "rastafariano" o "rasta" como adjetivo en minúsculas para calificar sólo lo referente a la cultura Rastafari, por ejemplo sus expresiones artísticas, como en "música rasta". (Para más aclaraciones, véase Furé Davis, 2000:9).

nominal se aprecia un uso creciente no sólo entre los propios practicantes, sino en la sociedad en general.

Este interés no creció súbitamente. En mis preguntas sobre las raíces religiosas de la cultura Rastafari, su evolución social, la naturalidad y claridad de su expresión a través de la cultura artística, sus estrechos vínculos con la cuestión racial, y cómo el Rasta trata de integrarse dinámicamente a la realidad sociocultural cubana actual, están las razones de estas páginas. Ahora estos temas pasan cada vez menos inadvertidos para las ciencias sociales y la sociedad, pero antes no era así.

A pesar de la sólida localización de la cultura Rastafari casi exclusivamente en Jamaica desde 1930, a mediados de la década de los años setenta comenzó a romperse ese aparente confinamiento debido a su difusión: un efecto inevitable de las prácticas comerciales, la economía de la cultura y el proceso de globalización en el mundo postmoderno; todo esto fue catalizado principalmente por la comercialización del reggae —su manifestación cultural popular por excelencia— y por el desarrollo del turismo internacional. Cuba parecía, hasta mediados de la década de los setenta, estar inmune a la presencia del reggae y de Rastafari. Pero el tiempo demostró que no era así. Entonces yo era un testigo muy joven y ajeno a su desarrollo. Algunos años más tarde, en el verano de 1985, fortuitamente comencé a conocer de Rastafari en Jamaica y en el mundo, su significado, su proceso de surgimiento y desarrollo en Cuba; y fue precisamente su música, el reggae, la que excitó todo ese interés: tal como le sucedió a muchos de los actuales Rastas y simpatizantes cubanos.

Además, entre 1989 y 1992, durante dos años no consecutivos, viví en Ghana, África occidental, mientras cumplía dos misiones internacionalistas como profesor universitario en el Instituto de Lenguas de Accra, la capital. Los viajes por todo ese país y el conocimiento a fondo de la vida en la capital me pusieron de frente, entre otras cosas, a las historias de algunos Rastas nativos o inmigrantes que habían llegado del Caribe, de "regreso" a la tierra de sus ancestros.

Sin embargo, fue hace solamente algo más de diez años, *circa* 1994, en un intento por tratar de entender esta cultura, primero empíricamente y luego con una formación académica, que comencé a acercarme a ella de manera multidisciplinaria. Vivo cerca de donde algunos se nutrían de ideas y conocimientos sobre Rastafari a través de un contacto intercultural muy intenso con estudiantes caribeños y africanos, muy cerca del barrio suburbano[2] llamado La Corea, hacia el sudeste de la provincia Ciudad de La Habana.[3] Es esta una zona de un municipio curiosamente descrito por algunas guías de turismo como los *ugly suburbs*[4] (literalmente dicho "suburbios feos"), ya sean residenciales o industriales, que rodean el centro turístico urbano y otros atractivos principales que se encuentran en Guanabacoa o en San Francisco de Paula. Con toda intención enfatizo lo del turismo por la influencia que los extranjeros, y sobre todo la industria turística y los "yumas", tendrían en la inmediata evolución de Rastafari en esa misma década. Vivir cerca de ellos me facilitó y amplió las primeras conexiones; vi crecer los *dreadlocks* de algunos, vi a otros cortárselos, y compartí muchas de sus inquietudes y problemas. En ese acercamiento prolongado y de primera mano, tropecé con muchos inconvenientes: incomprensiones de todo tipo en el barrio, en las instituciones; pero también sentí la necesidad de hacer visible, desde Cuba, un fenómeno cultural creciente en esa

[2] Se utiliza aquí el término "suburbano" para designar las áreas residenciales donde los hábitos de vida están especialmente marcados por implicaciones sociales de clase supuestamente "inferior" y por menos oportunidades de movilidad social ascendente; "sub", en "suburbano", implica posición marginal. Téngase en cuenta que este enfoque no atiende a la posición geográfica de estas áreas en relación con el centro urbano, sino a cuestiones de índole estrictamente cultural.

[3] El barrio de La Corea tiene, probablemente, su origen en la época en que comenzó a parcelarse y a poblarse un terreno ubicado al norte de la Calzada de San Miguel del Padrón, cerca de donde hoy se inicia la autopista nacional, a principios de la década de los cincuenta, cuando tuvo lugar la Guerra de Corea (1950-1953). El porqué del nombre quizás se deba a una combinación de tres factores: a saber, la repercusión que tuvo este hecho en las noticias de la época en Cuba, el ambiente "conflictivo" que comenzó a asentarse en el barrio habitado fundamentalmente por negros y por inmigrantes de otras zonas del país, y las pobres construcciones improvisadas con materiales de todo tipo hechas como para vivir "en tiempo de guerra". En la actualidad, es un barrio heterogéneo aunque mantiene algunas de las características originales. Estos aspectos se retomarán en el capítulo dedicado a la marginalidad.

[4] Así aparece, por ejemplo, en la guía *CUBA,* de la serie Lonely Planet Travel Survival Kit, escrita por David Stanley (Lonely Planet Publications, Hawthorn, 1997, p. 185).

época de escasez extrema, crisis económica, de apertura religiosa: el Período Especial en pleno apogeo.

Pero no es sólo en esta parte del sudeste de la capital donde se apreció ese repentino crecimiento de Rastafari; en algunas casas de la Habana Vieja, el reparto Camilo Cienfuegos en la Habana del Este y en otras zonas, continuó la germinación y crecimiento de la semilla sembrada, voluntaria o involuntariamente, años atrás por estudiantes de naciones caribeñas y africanas, y por los "yumas" fundamentalmente europeos. También se hacía muy notable como un fenómeno ya indetenible en Santiago de Cuba —punto de encuentros migratorios y de entrecruzamientos culturales con el Caribe—, en Guantánamo —singularizada por la huella de la inmigración anglocaribeña y francocaribeña—, en Cienfuegos —marcada por la inmigración caribeña, en este caso francesa, y continental— y en otras provincias. Por ende, adquiría un carácter nacional. Era evidente entonces que un acercamiento a este tema no podía limitarse sólo a la Ciudad de La Habana. Por esas razones y en medio de incontables limitaciones materiales, me fui a Guantánamo durante una semana de trabajo en noviembre de 1998; en Cienfuegos me recibió en su casa una entrañable familia en diciembre del mismo año; en Santiago de Cuba estuve en varias ocasiones entre 1996 y 2000.

Luego tuve la suerte de ganar en 2001, junto a otros latinoamericanos, la beca de investigación Steve Biko, otorgada por el Consejo Inter-Universitario de Flandes, Bélgica. Eso me respaldó durante un período y me permitió estudiar un conjunto de herramientas interdisciplinarias y transdisciplinarias de los estudios culturales. Fue un afortunado azar que la beca tuviera precisamente el nombre de ese joven sudafricano negro, devenido mártir de la lucha contra el régimen de apartheid al ser asesinado el 12 de septiembre de 1977.

En las provincias cubanas antes mencionadas también conversé con Rastas de otras ciudades en las que no estuve: de Las Tunas, Ciego de Ávila y Pinar del Río. Sin lugar a dudas estábamos en presencia de un fenómeno nacional, pero a pesar de esa amplia dispersión de sus espacios era prácticamente desconocido en el país.

Existían muchas lagunas en cuanto al conocimiento de este fenómeno cultural, mayores aun si tenemos en cuenta la falta de textos publicados en el país sobre el tema. En general, puede decirse que los antecedentes bibliográficos para acercarnos a Rastafari en el contexto cubano son prácticamente inexistentes; no existe comparación alguna con la variedad de títulos en el ámbito internacional. Sin embargo, vale destacar la importancia de las recientes publicaciones sobre la racialidad en nuestro país, cuyo estudio contribuye a que no sólo la sociedad en general, sino más específicamente el propio Rasta, aprecie sobre bases sólidas las especificidades de la construcción de una identidad racial dentro de la diversidad cultural y la unidad nacional cubanas. Por ejemplo, en la segunda mitad del siglo XX se publicó poco en comparación con etapas precedentes y la actualidad; nombres como José A. Saco, José Martí, Fernando Ortiz, Juan Gualberto Gómez y Serafín Portuondo, con distintos puntos de vista, preceden la perspectiva postrevolucionaria de Pedro Serviat y los criterios y publicaciones más contemporáneos de Tomás Fernández Robaina, Fernando Martínez Heredia, Rogelio Martínez Furé, Jesús Guanche, Elvira Cervera, Esteban Morales, Gisela Arandia y muchos otros.

El lector no encontrará en estas páginas una amplia historia de Rastafari. Por limitaciones materiales y razones de tiempo, sólo haré algunas consideraciones relevantes sobre sus orígenes. Quienes quieran profundizar más en las raíces y la ideología de Rastafari, necesariamente deben remitirse, no tanto a la amplia bibliografía publicada internacionalmente ya que está casi exclusivamente en inglés y es prácticamente inaccesible para los cubanos, sino a las fuentes primarias: aquellos primeros practicantes que aún conviven en nuestras calles y son capaces de brindarnos una diversidad de opiniones que pueden llevarnos a nuestras "propias conclusiones". En este sentido, considero impostergable la creación de espacios y oportunidades para que estas voces se escuchen a través de la expresión artística (la música y las artes plásticas fundamentalemte). También existen diversos documentales sobre Rastafari y la vida y obra del jamaicano más universal, Robert Nesta (*Bob*) Marley, algunos de los cuales están subtitulados en español y circulan de mano en mano; así como otros documentales que extranjeros y cubanos han realizado en torno a las peculiaridades del Rastafari cubano; una gran variedad de sitios en la red de redes; en fin, un conjunto de fuentes *alternativas* de información y conocimiento socialmente útil que puede suplir en parte la ausencia en Cuba de una bibliografía en español sobre la relativa verdad de los orígenes, evolución e ideología de lo que denomino aquí "cultura Rastafari".

Los autores no jamaicanos (americanos y europeos, sobre todo) de otros trabajos han logrado por lo general sus primeras aproximaciones a este tema y sus deducciones en Jamaica y con Rastas jamaicanos (Carole Yawney, 1976; Leonard Barret, 1977; Tracy Nicholas, 1979; Jake Homiak, 1985, y muchos otros). Sin embargo, mis primeros contactos y motivaciones se originaron en Cuba, y con Rastas cubanos o de otras nacionalidades que residían o residen en Cuba.

Quisiera dejar explícito que a pesar de vivir y estar cerca de muchos Rastas, mi intención no es describir esta cultura desde dentro. La razón es sencilla. Entre otras cosas, mi compromiso con la comunidad Rastafari no ha sido el de la "conversión" o identificación total, sino contribuir a una caracterización del Rastafari dentro de la diversidad cultural cubana como una manifestación cultural cuyas expresiones se corresponden con su ideología e influyen en el resto de la sociedad. Se dice con frecuencia que la observación imprime mucha subjetividad y relatividad al punto de vista del investigador, ya que nuestro nivel de relación con un suceso o proceso cultural y con las personas involucradas influye en lo que apreciamos, pero es indudable que sin participación no hay entendimiento ni comprensión pues el significado de las diversas expresiones culturales (y otros elementos cualitativos como las motivaciones, la personalidad, y rasgos de la identidad) está determinado por lo que la gente dice y hace al respecto y en el contexto (Chernoff, 1979:9).

Al igual que la población de todo el país, entre los Rastas hay una alta movilidad: el desplazamiento hacia la capital del país, temporal o definitivamente, es notable. Además, hubo diversos viajes proselitistas y de orientación y cooperación que algunos Rastas residentes en la Ciudad de La Habana realizaron a otras provincias. Ambas circunstancias son la causa de un relativo desposicionamiento o desplazamiento de la población Rasta, que dificulta un posible estudio de caso específico de Rastafari en alguna de las provincias o localidades cubanas. Sin embargo, si bien existen marcadas diferencias culturales entre Santiago y La Habana, por ejemplo, éstas no son tan apreciables entre las formas de asumir Rastafari en estas provincias.

Comparar es también muy útil en este tipo de empeño. A veces escuchamos entre los entusiastas o seguidores criterios sobre el reggae cubano o sobre los verdaderos hábitos vegetarianos, entre otros temas. ¿Existe el reggae cubano o puede sólo hablarse de reggae "hecho en Cuba"? ¿Cuán difícil es ser vegetariano en un país donde muchos platos típicos están confeccionados a base del cerdo o de sus derivados? Todos estos juicios e inquietudes llevan implícita la comparación. Como Jamaica es el referente más cercano cuando se habla de Rastafari, algunas ideas aquí expresadas son el resultado de un examen cualitativo de las semejanzas y diferencias entre las formas de asumirlo. Esto permite deslindar aquellos aspectos específicos del caso cubano a diferencia de las manifestaciones en otros espacios. A partir de estos balances, fue posible delimitar algunas variables conceptuales específicas que presentaban dificultades metodológicas a la hora de caracterizar y definir Rastafari en el contexto cubano, a saber, la problemática racial, el concepto de *movimiento social* y el concepto de *Babilonia*.

Gran parte del contenido es también resultado de conversaciones, debates, de historias de vida contadas por sus protagonistas. En su conjunto, estos fueron fuentes primarias cualitativamente valiosas y aportaron reflexiones espirituales, autobiográficas o testimoniales, orales e incluso escritas, de Rastas cubanos y extranjeros y de otros jóvenes cuyas edades oscilan entre los veinte y los cuarenta años aproximadamente. Hay que subrayar las opiniones de varios jóvenes de otros sectores sociales que no se identificaban como Rastas, aunque unos pocos resultaron ser fuertes simpatizantes, ellos contribuyeron a validar ideas en torno al alcance de la comercialización y difusión de los símbolos y atributos rastas en la sociedad en general. En el proceso hubo además entrevistas con personas e instituciones relacionadas con los medios de difusión y la cultura artística.

El texto no espera agotar todos los aspectos de un tema tan complejo, polémico y diverso. Más bien apunta solamente a dos direcciones: por una parte, caracterizar el surgimiento y las condiciones actuales de la cultura Rastafari en Cuba, y, por otra, examinar los textos del reggae cubano como la principal manifestación cultural rastafariana y su influencia en el resto de la sociedad a partir del contexto sociocultural en el que se promueven. Una de esas aristas que pudieran merecer una atención más detallada es la mujer Rasta; ella también está representada aquí, pero no exclusivamente desde la perspectiva de género, sino socialmente, o sea, como parte constituyente de la cultura Rastafari cubana. En cuanto a las omisiones, pudiera pensarse imprescindible recrear con amplitud el contexto socioeconómico, histórico, político de los años setenta, cuando Rastafari y reggae se hacen sentir por primera vez; o de los años noventa haciendo hincapié en las causas y consecuencias del período en que ocurre un auge de la presencia del Rasta en Cuba. No obstante, estas ideas van dirigidas al lector cubano fundamentalmente, quien es también protagonista de las circunstancias del Período Especial y por lo tanto conocedor de sus causas y efectos. Donde parezca necesario, habrá algunas observaciones pertinentes sobre el contexto histórico en cuestión. La ausencia más notable en este libro es, quizás, el tratamiento crítico apropiado de las artes visuales, sobre todo el mensaje consecuente y los valores de las esculturas, las pinturas y los grabados que salen de las manos profesionales o aficionadas, hábiles o menos experimentadas de los propios Rastas o simpatizantes. Porque ello merece un estudio especializado y profundo, prefiero dejarlo en manos de los críticos de arte y no inmiscuirme en ese campo.

En otro orden de cosas, expongo ahora algunas consideraciones sobre la selección de mis interlocutores y de los textos de reggae. Los sujetos que de diversas maneras colaboraron con este empeño responden a una muestra aleatoria inicial ampliada con el efecto de "bola de nieve", o sea, a partir de los contactos iniciales, la muestra se amplió a otros puntos y ciudades con las recomendaciones sucesivas de los propios entrevistados. Generalmente en la práctica etnográfica se omiten o se cambian los nombres reales; sin embargo, en lugar de desagradables seudónimos que ocultan a veces una intencionalidad perniciosa de investigadores foráneos, en este trabajo las referencias a los entrevistados y a sus declaraciones se hacen a través de los nombres y apodos con que ellos se identificaron. De esta manera se evita tender un velo peligroso precisamente sobre esas identidades que este texto pretende validar. Asimismo, trato de reconocerles su protagonismo en la construcción de esta historia oculta y silenciada hasta hoy. Es por ello que también se incluyen fotos de algunas de las tantas personas, lugares y hechos que merecen ser mencionados. Por el contrario, otros que prefirieron el anonimato —la minoría, por suerte— aparecen mencionados, de ser necesario, sólo con un número que no se corresponde con el ordenamiento meramente alfabético del "Rasta-Data" que aparece al final. En general, todas estas voces aparecen representadas.*

La selección de textos responde a algunos criterios relacionados con el componente comunicativo de la cultura. En los inicios de la investigación, en 1995, se podía hacer la muestra con lo que existía siguiendo el criterio de la casi inexistencia del reggae en el contexto sociocultural cubano. No obstante, se experimentó un aumento visible del número de Rastas; una revitalización del interés por el reggae; la creación de grupos o bandas de reggae, y, por lo tanto, un incremento en la producción nacional de reggae hacia fines de esa década. Con ello, la muestra se incrementaba

* Se ha tratado de mantener la autenticidad de los fragmentos de entrevistas incluidos. De ahí que algunos discursos puedan resultar algo desordenados. Esto es comprensible si tenemos en cuenta que son tomados directamente del lenguaje oral, con muy pocas intervenciones del escritor o editor.

considerablemente y se hacía necesario limitarla. Para ello tuve en cuenta tres parámetros:

A. Excluir todo reggae hecho por los Rastas o simpatizantes que compusieron o interpretaron temas ocasionalmente y además nunca llegaron a grabar.
B. Excluir todo reggae hecho por los Rastas o simpatizantes, e interpretado por solistas o grupos de estructuras muy efímeras e inestables, que no trascendieron en sus presentaciones en público.
C. Excluir el reggae compuesto e interpretado por los no Rastas, a pesar de que los temas pudieran tener puntos de contacto con esa ideología, y los textos que se apropian del reggae para poner en la voz temas sin relación directa con esta cultura (*e. g.*, no incluyo la canción "Nelson Mandela, sus dos amores", de Pablo Milanés, ni el "Reggae Bomp", de Yerbawena, ni el "Reggae", de Moneda Dura, ni muchos otros de este tipo).

En el análisis del reggae cubano es imposible hacer una selección mediante el criterio de la difusión y la popularidad por dos motivos. Primero, son muy pocos los temas que realmente cuentan con una difusión mediática que les garantice una aceptación popular. A pesar de que algunos programas de radio y de televisión han difundido algunas canciones, ésta no es una práctica reiterada. Segundo, es un hecho que el reggae en Cuba no ha tenido una respuesta generacional amplia. Por ello utilizo el criterio de la aceptación generalizada entre los grupos de simpatizantes de aquellos temas más logrados en el contexto sociocultural del concierto. El reggae es una música para transmitir un mensaje (Bilby, 1977:18) y, por lo tanto, puede decirse que a través de los receptores de ese mensaje se está en mejores condiciones de medir su aprobación como expresión cultural de Rastafari *par excellence* dentro del grupo social al que pertenecen. Además, tengo en cuenta para la selección de los temas que en general el mensaje transmitido debe trascender de alguna manera a otros grupos o sectores diferentes de los simpatizantes del reggae, como en realidad se pudo apreciar en los conciertos de Manana Reggae,

Paso Firme, Remanente y otros grupos. Este valor comunicativo explica por qué las canciones seleccionadas pertenecen a los grupos, solistas o autores más comprometidos con la cultura Rastafari, con la sola excepción de algunos temas incluidos para ilustrar los contrastes que se debaten posteriormente. Por último, ya que la comunicación entre el transmisor y el receptor del mensaje del texto se realiza fundamentalmente en el contexto sociocultural del concierto de reggae, he tomado en cuenta a los grupos y solistas más activos en las presentaciones y las grabaciones formales e informales, que por lo general son también los más consolidados, los institucionalizados o los menos efímeros. Con estos criterios, se llegó a una selección de 37 canciones de 14 grupos o solistas.

En busca de un enfoque cultural

Para entender la cultura Rastafari en Cuba no bastan las visiones prejuiciadas implícitas en lo que se ve o se oye en nuestra realidad cotidiana. Se necesita una inmersión más profunda en el terreno de las ideas, de la cultura caribeña, así como en las condiciones históricas, sociales y culturales que propiciaron su desarrollo en nuestro país. Sólo se está en condiciones de intentar vencer las influencias que simplifican, reducen o asocian la cultura Rastafari a una u otra actitud o costumbre. Buscamos en estas páginas un prisma que nos facilite una visión abarcadora que contribuya a su comprensión en medio de la diversidad cultural de nuestro país.

De la misma manera que no existen ya culturas puras, sino mestizas, mezcladas, híbridas, tampoco existen ciencias sociales puras, pues ellas por sí solas "no ha[n] captado en toda su complejidad las mutaciones que experimenta la producción simbólica en medio de procesos en los que predominan las fusiones y las mezclas"(Espinosa, 2003:11). Quienes han tenido la oportunidad de leer sobre Rastafari, habrán notado que cada obra está escrita desde una de ciencia social en particular, mas todas en conjunto nos sirven en la construcción del conocimiento sobre este tema. A partir de 1960, se comienza a escribir sobre Rastafari para hacerlo visible ante la sociedad en general. A instancias del Gobierno jamaicano, tres destacados profesores de la Universidad de las Indias Occidentales (Michael Garfield Smith, Roy Augier y Rex Nettleford) publicaron *The Ras Tafari Movement in Kingston, Jamaica*. La antropología y la etnografía han dado su visión (Homiak, 1985; Chevannes, 1995; Savishinsky, 1993), y junto a la historia (Campbell, 1985), la sociología (Larenas, 2003), la teología (Johnson-Hill, 1995), incluso la lingüística aplicada (Pollard, 2000) y el análisis literario (Cooper, 1995), han sido los puntos de vista más frecuentes. Además, esta variedad satisface diferentes perspectivas e intereses; algunos trabajos son descripciones socio-religiosas con una perspectiva de alcance universal que tiende a unificar los distintos tipos de manifestaciones de cada país (Peter B. Clarke, 1996; Tracy Nicholas, 1979); otros son meramente descriptivos y se han convertido en libros de referencia a pesar del paso del tiempo (*e. g.*, Owens, 1976), mientras otros analizan la contribución cultural de Rastafari al historiar el proceso de surgimiento y difusión internacional del reggae como música popular auténticamente jamaicana (Constant, 1982; Clarke, S., 1980 y 1987; Chang y Chen, 1998) o de algunas formas de expresión artística como la literatura oral y escrita, las artes visuales y hasta el cine (Brodber y Greene, 1988; Cooper, 1995). Como vemos, el alcance de los estudios sobre la cultura Rastafari trasciende los límites fronterizos entre las ciencias sociales imaginariamente fijados por la comunidad académica.

En la actualidad se ha abordado Rastafari no sólo interdisciplinariamente, sino también comparativamente, y se rebasan las fronteras de Jamaica, Inglaterra, Estados Unidos y Etiopía. Algunos de los estudios más recientes sobre Rastafari se basan en sus peculiaridades en otros países de América, Europa, Asia y África. En Cuba, sin embargo, solamente encontramos el interés de estudiantes universitarios y de otros niveles que, en forma creciente, se motivan por la novedad del tema y realizan alrededor de esto sus tesis de diploma o trabajos de curso a pesar de haberse mantenido como un asunto generalmente desconocido, poco explorado, socialmente rechazado, polémico y marginado. También se han publicado en el país, durante las últimas dos décadas, algunos artículos en revistas dirigidas fundamentalmente a la juventud, tales como *El Caimán Barbudo* y *Somos Jóvenes*, cuyo contenido es más informativo —y, en algunos casos, crítico—

que analítico y científico; casi exclusivamente giran en torno a Bob Marley y el reggae, sin llegar a describir ni analizar cómo y por qué comenzó a germinar ese interés en nuestro país. Cuando la editorial Letras Cubanas me publicó en el año 2000 *Cantos de Resistencia* en la colección Pinos Nuevos, que examina los textos del reggae y la poesía dub en Jamaica, se destacaba que eran temas hasta entonces "prácticamente inéditos entre nosotros"; agradezco a esa editorial el haber dado a los lectores la posibildad de conocer y criticar los puntos de vista allí expuestos sobre Rastafari y el reggae.

Por consiguiente, no es difícil imaginar que tal diversidad de criterios conduzca a una consecuente diversidad de generalizaciones utilizadas para definir este tema: Rastafari es para algunos un movimiento político-religioso, o un *way of life*, o un movimiento o culto mesiánico-milenario, o una secta, o una religión, entre muchos otros conceptos, algunos erróneos. Sin embargo, aquí se utiliza sólo la palabra "movimiento" cuando la intención es resaltar el carácter cultural, o sea, lo social, lo político, lo ideológico, lo religioso y lo artístico de Rastafari *en su conjunto*, sobre todo entre los años de su surgimiento (década de los treinta) y auge (década de los sesenta) en Jamaica. Posterior a esa época veremos que ni siquiera "movimiento" es el término apropiado en el contexto global y fundamentalmente en el caso cubano.

Por otra parte, mientras en el resto del mundo, muchos libros tratan sus características, ideología y esoterismo, vistos en Jamaica, Inglaterra y otros países, por lo general se concentran en la interacción existente entre la ideología Rastafari y la cultura popular de aquellos países donde se desarrolla; en ellos, Rasta se describe como una cultura transnacionalizada o importada, ya sea desde Jamaica o desde el contexto global, pero con rasgos meramente definidos a partir de aquellos aspectos de la historia, la cultura y la sociedad jamaicanas que conformaron la ideología Rasta. Ésa es la impresión que nos transmite la lectura sobre Rastafari en las sociedades cosmopolitas industrializadas; o sea, es difícil aprender cuánto de la cultura popular nacional existe en un Rasta, digamos, belga, en quien prevalece la imitación de aquellas características y símbolos más comunes de un Rasta jamaicano. Sin embargo, en menor medida, se aprende en esas lecturas de aquellos procesos de cambio, de esas variaciones en su esencia misma, que son evidentes en las relaciones interculturales. En un Rasta del Pelourinho de Salvador de Bahía, en Brasil, la cultura popular bahiana deja una marca cultural local que evidentemente lo distingue del Rasta de Jamaica o del resto del mundo.

Precisamente de fusiones y mezclas está impregnada la historia de África, la América Latina y el Caribe por diversas razones. Los procesos histórico-sociales del área del Caribe, específicamente, han fomentado en muy corto tiempo infinitas conexiones interculturales que lo convierten en un espacio único y diverso al mismo tiempo. Las culturas (lengua, religión, valores, etcétera) impuestas por los imperios, las nativas, las de origen africano y otras étnicamente diversas, confluyeron como resultado de procesos históricos y culturales. Por otra parte, la diáspora caribeña en el mundo metropolitano desarrollado, y en menor número en otras zonas del mundo, constituye minorías subculturales (o sea, subordinadas o inferiores) o microculturales (reducidas o segregadas a un pequeño espacio urbano de acción) muy significativas en momentos en que la cultura se difunde a nivel global con rasgos homogeneizantes en diferentes terrenos. En este medio de confluencias, Rastafari ocupa un lugar primordial, tanto en África, en Latinoamérica, en el Caribe, como en América del Norte o en la Europa desarrolladas a partir de la misma historia de colonización y esclavitud del negro en que se basa la ideología y los símbolos rastas. Además, interactúa desde hace más de dos décadas con el continente asiático.

Ante tanto alcance global, la cultura, en el sentido amplio de la palabra, es entonces el cimiento de este breve enfoque al Rastafari cubano.

La cultura en los estudios culturales

Debemos recordar que desde los años de la postguerra, durante los inicios del fin del colonialismo, la cultura se convirtió gradualmente en el centro de la vida política y económica. En muy pocos años, se "descubrió" que la cultura se producía para las masas, como en una industria, y muy poco tiempo después se hizo evidente que las masas populares también tenían *su* cultura, no fabricada, sino producida naturalmente por ellas mismas. Por lo tanto, había cultura en todo, ya no era sólo el patrimonio *museable* de la intelectualidad o la élite. Es precisamente esta etapa la que precedió al auge de Rastafari en los años de la descolonización, cuando crecía en las zonas urbanas de Kingston y comenzaba a romper la hegemonía de una cultura dominante, cuando el Rasta empezaba a ocupar espacios protagónicos en la literatura o en la música, cuando sus símbolos servían a propósitos políticos electorales ajenos a su ideología. Eran también los años de la llamada "revolución cultural" en el Caribe a través de la música popular, la literatura, el deporte. En los años cincuenta, por ejemplo, el equipo de cricket de West Indies derrotaba al equipo inglés en su propio terreno sagrado: un acontecimiento sin precedentes.

Para los estudios culturales, la cultura, en general, constituye no solamente los valores materiales y espirituales del accionar creativo histórico-social del hombre, como se define comúnmente en términos filosóficos, sino que también

> la *cultura* es una esfera en que la clase, el género, la raza y otras desigualdades se concretan y se representan de diversas maneras que sirven (en la medida de lo posible) a las relaciones entre éstas y otras desigualdades económicas y políticas. En el sentido opuesto, la cultura es también el medio por el que varios grupos subordinados viven y resisten su subordinación. La cultura es, entonces, el terreno en el que se lucha por el poder y se establece la hegemonía, y por lo tanto es el escenario de luchas culturales. (O'Sullivan *et al.*, 1994).[5]

[5] Trad. del autor. En el original se lee: "[...]*culture is seen as a sphere in which class, gender, race, and other inequalities are naturalized and represented in forms which serve (as far as possible) the connection between these and economic and political inequalities. Conversely, culture is also the means by and through which various subordinate groups live and resist their subordination. Culture is, then, the terrain on which hegemony is struggled for and established, and hence it is the site of cultural struggles*".

Esas *luchas culturales*, conflictos, interacciones, desafíos de la contemporaneidad son el centro de un enfoque multidisciplinario sobre las relaciones sociales y sus significados, o sea, sobre la forma en que las divisiones sociales de género, raza y clase adquieren significado. Desde este punto de vista, se destaca la heterogeneidad ante la homogeneidad cultural en medio de un orden social históricamente determinado, que hace que esas diferencias adquieran significado y relevancia y sean objeto de análisis. Por ejemplo, cuando los Estados Unidos se consolidaban como potencia hegemónica mundial; cuando la descolonización del tercer mundo africano y latinoamericano ganaba irreversiblemente cada vez más terreno, ya fuese por medios pacíficos o violentos; cuando los movimientos obreros, feministas y de minorías étnicas, raciales y otras, incluso de *gays* y lesbianas, no podían pasar inadvertidos por más tiempo, como el movimiento por los derechos civiles de los negros en los Estados Unidos —que de alguna manera dio continuidad al pensamiento anticolonialista de Marcus Garvey—; cuando la cultura popular tradicional impactó en los nuevos medios de difusión cultural y comenzó a globalizarse, fue entonces cuando los estudios culturales adquirieron esa dimensión de *ciencia de la resistencia* para tratar una diversidad de fenómenos con la misma inmediatez que la noticia periodística refleja los acontecimientos actuales más importantes. Parafraseando a Cornel West, los estudios culturales constituyen uno de los instrumentos para asumir el desafío intelectual de las nuevas políticas culturales de la diferencia (West, 2002:4-12).

En la actualidad, el carácter político de los inicios de los estudios culturales ha disminuido. No obstante, continúa primando el enfoque multidisciplinario sobre problemas más contemporáneos y por lo tanto más diversos; una perspectiva multilateral sobre esos mencionados conflictos y batallas de minorías, que adquieren ahora un carácter secundario con respecto a problemas más acucientes del mundo moderno, automatizado e industrializado, en el que frecuentemente terminan masivizados, globalizados o convertidos en *capital simbólico,* muchas veces por intereses del propio Occidente desarrollado. Hoy los estudios culturales abarcan variadas perspectivas: género, clase, raza y grupos sociales, como la juventud. La cultura Rastafari reúne estas características: es una y diversa, es de origen popular, está estrechamente vinculada con la juventud, con la problemática racial y de género, y sobre todo se manifiesta igualmente en el contexto global.

Cultura Rastafari

En una ocasión, escuché a Wole Soyinka referirse peculiarmente a la antigua polarización de la cultura, la "que sostiene el poder y la que lo critica y lo desafía".[6] Es precisamente como cultura rebelde y plagada de símbolos creados o apropiados que Rastafari gana en importancia e interés en todo el mundo, y se manifiesta de manera diferente en cada espacio geográfico y en cada época. No es posible obviar la presencia de esta manifestación ni su breve proceso —poco más de treinta años— de expansión mundial. Rastafari se ha convertido en una cultura de fácil desplazamiento, que *viaja* en sus símbolos y expresiones culturales reinterpretados según las condiciones locales.

Como vimos antes, para definir Rastafari, se han utilizado generalizaciones diversas: "movimiento político-religioso" (Appiah y Gates, 1995), "culto mesiánico milenario" (Barret, 1977), "movimiento socio-religioso" (Clarke, P., 1986), "religión" (Jonson-Hill, 1995), "*a way of life*" (Nicholas, 1979), "subcultura" (Hebdige, 1979), y "cultura de resistencia" (Campbell, 1997). Sin embargo, estos términos no son suficientemente abarcadores para cubrir todos los matices de esta forma de ver el mundo, por esto propongo como concepto fundamental que la cultura Rastafari es una actitud ante la vida, un conjunto de valores, una filo-

[6] Discurso pronunciado por Wole Soyinka durante la ceremonia de inauguración del Premio Casa de las Américas 2001, 20 de enero de 2001. Esta distinción dicotómica de la cultura es muy frecuente en los estudios culturales aunque no absoluta, pues la cultura media o de masas es un espacio intermedio que absorbe cada vez más peculiaridades de los extremos.

sofía en la que el Rasta se apropia de imágenes, símbolos y actitudes diversas que procesa, lo identifican y sirven de vehículos para las ulteriores reinterpretaciones de su accionar creativo y social. En este sentido, las circunstancias y las características del espacio en que se desarrolla son determinantes en la diversidad de formas de asumir esta cosmovisión.

Rastafari ha trascendido lo social, lo religioso, lo político, lo racial e incluso lo económico para ser una amalgama de todos estos elementos. Enfatizo el aspecto económico porque es otro prisma para avistar el fenómeno. Dada la interconexión entre clase social y raza, sobre todo en el Caribe inglés, el Rasta es fundamentalmente negro o consciente de lo negro, oprimido (*downpressed*) como parte del círculo vicioso del sistema neoliberal que, por lo general, reproduce las pocas posibilidades de acceso, en una sociedad capitalista subdesarrollada como la jamaicana, a los medios de producción y a la riqueza social para mejorar sus condiciones de vida. *Life and Debt*, un documental de Stephanie Black, vincula este tema a la cultura Rastafari. Esto es un capítulo más del breve proceso histórico de su surgimiento y desarrollo desde la década de los treinta hasta la actualidad, y esta característica se mantiene en su dispersión por los cinco continentes.

En años más recientes y a la luz de las preocupaciones teóricas sobre la globalización de tendencias culturales, que disminuye cada vez más las diferencias y aumenta las similitudes, es común apreciar cómo en la bibliografía se utiliza sólo el término "Rastafari" para referirse a esa cultura, o a los simpatizantes o practicantes. Con este uso comúnmente aceptado se evitan muchas de esas polémicas o falsas generalizaciones y las probables contradicciones surgidas en los estudios comparativos a nivel global. Pero estas previsiones provocan además otros cuestionamientos conceptuales. De la misma manera que se acepta que a nivel global no existe *un* solo Rastafari, sino diversos tipos de Rastafaris, hablar sólo de un *contexto global* sería reducir las complejidades esenciales de un espacio tan diverso en aspectos como la lengua, la cultura y la política; por lo tanto, desde este punto de vista, es mejor admitir que existe además una "conciencia global"

(Salter, 2001) sobre la existencia de la cultura Rastafari, y no de un tipo determinado de Rastafari en el contexto global.

Además de la música, son también parte de la cultura Rastafari las diversas formas de expresión que codifican sus mensajes: las artes plásticas y la literatura fundamentalmente. Estos y otros elementos y prácticas simbólicas de las que se nutre, tales como la religiosidad popular y las tradiciones orales, constituyen un todo inseparable. Por ejemplo, no es difícil notar que Rastafari y reggae constituyen un sistema cultural, una simbiosis matizada por la unidad temática entre la ideología Rasta y los textos del reggae, un conjunto dinámico cuyas partes tienen una relativa independencia: Rastafari hace suyo el reggae, pero todo reggae no es exclusivo de Rastafari.

Entonces, es esta cultura Rastafari, universalizada, en continuo movimiento y evolución, la que llega a Cuba a arraigarse entre grupos numéricamente pequeños de algunos sectores de la sociedad. De sus orígenes y de este proceso de entrada en Cuba trata el siguiente capítulo.

Rastafari cubano: raíces históricas, surgimiento y desarrollo

Raíces históricas

Es el momento de ahondar en algunos pasajes de la historia. Muchos coinciden en establecer el año 1930 como fecha que marcó el inicio. El hecho histórico fue la coronación como emperador de Etiopía de Haile Selassie I el 2 de noviembre de ese año. Sin embargo, hay que considerar que este hecho estuvo precedido por más de dos décadas de fomento de un orgullo racial en el negro y de una exaltación de los valores y la historia del continente africano y la raza negra. Además fue continuado por la labor proselitista y predicadora de los primeros activistas.

Del imperio a la religión

Haile Selassie I nunca admitió, al menos públicamente, ser una persona divina pero tampoco conozco de evidencias históricas de que lo haya negado. La coronación y el proselitismo inicial por sí solos no bastan para deducir el porqué de la posterior deificación de Selassie I. Las circunstancias históricas y sociales en Jamaica desde varias décadas antes de la coronación también explican las razones de tan repentino surgimiento de una nueva forma de religiosidad. El etiopianismo y el garveyismo fueron dos corrientes de pensamiento que coadyuvaron al surgimiento y rápido desarrollo de Rastafari en Jamaica.

La primera tuvo como base ideológica la idealización de África a partir de fines del siglo XVIII,[7] cuando el nombre de "Etiopía" —entonces Abisinia— se utilizaba en la literatura, sobre todo bíblica, para denominar a esa región y como sinónimo de África en toda su dimensión. La visión del negro —*i. e.* de los abisinios— en la literatura bíblica disentía de la ignominia y las vejaciones de la esclavitud al presentar a un ser humano digno.[8] Por otra parte, el Reino de Abisinia se erguía como el único territorio africano inmune ante la expansión colonialista europea. Ésta era la base ideológica del etiopianismo. Estas ideas muestran que la idealización y la posibilidad de la repatriación a África no comenzaron con Rastafari ni con Garvey, sino que venían desde mucho antes. Fueron adoptadas por Garvey y retomadas por el proselitismo inicial desde los años treinta en Jamaica.

La idealización de África —el etiopianismo— tuvo varias manifestaciones. En lo religioso, muchas iglesias que se escindieron del cristianismo ortodoxo en Etiopía, en los Estados Unidos (e incluso en una fecha tan tardía como 1969 con la fun-

[7] La idealización de África en la historia de Jamaica y en las raíces de Rastafari, consta, según Chevannes (1995:34) de cuatro períodos: 1. el período precristiano hasta la llegada del predicador bautista George Lisle a Jamaica procedente de los Estados Unidos en 1784; 2. el período de la evangelización cristiana hasta 1900; 3. los años panafricanos a partir de la fundación de la primera Asociación Panafricana de Jamaica en 1901 por Robert Love y de la UNIA por Marcus Garvey en 1914, y 4. el período Rastafari a partir de 1930. Esta periodización es la base de la conexión entre Rastafari y el África bíblica y espiritual. En todo el espacio imaginario de Afroamérica insular y continental —incuida Cuba—, la idealización de África entre los esclavos surcó por caminos similares; el tronco común para estas rutas espirituales hacia el continente madre era la religión. Dígase la religión de base africana sobre todo durante la era de la idealización precristiana de África, presente en muchas creencias (*e. g.*, África era el "paraíso" después de la muerte. También muchos creían que si se ingería mucha sal, el alma no podía volar de regreso a ese paraíso. Asimismo, a toda la "costa de oro" —territorio costero por el que salieron muchos esclavos hacia la América insular— comúnmente se le llamaba "Guinea".), o dígase también la religión transculturada de soporte cristiano, en cuyas Escrituras se basan los sistemas revivalistas (del inglés *revival,* religión popular de Jamaica), espiritistas y protestantes muy comunes en la cultura caribeña. O sea, siempre a través de la religión existía cierta mirada más o menos explícita a África (representada por Guinea, Etiopía, u otro espacio étnico-nacional), existía una expresión o materialización de la raíz étnico-racial diversa del negro de América.

[8] El Salmo 61:37-39, por ejemplo, presenta a una Etiopía que para la diáspora africana en América significaba lo mismo que Jerusalén para los judíos.

dación de la primera Iglesia Ortodoxa Etiope), en Jamaica tomaron el calificativo de "Etiope" o "de África". En lo político e ideológico, esta corriente identificaba a todos los negros como etiopes o judíos, colocaba a Etiopía como parte de la gran civilización egipcia, identificaba a Italia con la Antigua Roma, entre otras creencias que aún hoy están presentes en la ideología Rastafari (Chevannes, 1995:43).

Dos momentos cardinales tuvo el etiopianismo: primero, la victoria etiope del 1ro. de marzo de 1896 sobre las tropas invasoras italianas en Aduwa; segundo, la fundación de la Federación Mundial Etiope (EWF)[9] en Nueva York en 1937, o sea, después de la invasión fascista italiana de 1935 a Etiopía y poco antes de la segunda guerra mundial. Ésta contó con varias sucursales fuera de los Estados Unidos. Ambos hechos son de primordial significación para Rastafari. El primero aun hoy se celebra en Jamaica como una fecha importante.[10] El segundo motivó la organización de marchas y protestas protagonizadas por africanos en muchas partes del mundo para solicitar apoyo para el Gobierno etiope; los Rastas en Jamaica desempeñaron un papel notable. El periódico *La Voz de Etiopía*, que editaba esta federación, divulgaba mucha información sobre la unidad africana, sobre la raza negra en todo el mundo, sobre Etiopía, contrarrestando así la crítica del exilio de Selassie I en Londres durante la ocupación hasta 1942 (Campbell, 1985:75-78).

En lo personal, Tafari Makonnen, su nombre de pila, nació el 23 de julio de 1892, hijo de Ras[11] Makonnen (éste era primo de Menelik II, quien fuera el último emperador hombre de la descendencia genealógica directa del Rey Salomón, hijo de David, y de la Reina Sheba). Era el *Lidj*[12] favorito de Menelik, quien lo aconsejaba y educaba para que ocupara exitosamente funciones

[9] Siglas en inglés de Ethiopian World Federation.

[10] Fui testigo de las celebraciones en Kingston por el centenario de la victoria en la Batalla de Aduwa, que culminaron con un gran concierto de reggae.

[11] *Ras*: título nobiliario del imperio etiope equivalente a príncipe o duque; el portador ocupaba generalmente un puesto de gobernador territorial.

[12] *Lidj*: título nobiliario etiope que significa literalmente "niño". Se llamaba así al hijo de un hombre importante en la corte.

en el Gobierno. A los dieciséis años, por ejemplo, fue gobernador de la pequeña provincia de Sidamo en el extremo sur del país; a los dieciocho fue designado gobernador de Harar, puesto que había ocupado su padre en esa provincia, una de las de mayor extensión e importancia en la época. Menelik lo nombró sucesor de su hija, la princesa Zauditu (emperatriz entre 1916 y 1930). Este último nombramiento lo colocaba en la línea directa de descendencia salomónica para "perpetuar el reinado que Dios le había prometido a David", según las Sagradas Escrituras.

Posteriormente y con esas responsabilidades en el Gobierno, desarrolló una labor de política exterior a la que se le atribuye, entre otras cosas, la entrada de Etiopía a la Liga de las Naciones en 1923.

Por otra parte, al otro lado del Atlántico, el trabajo ideológico, que devino profético, de Marcus Mosiah Garvey (nacido el 17 de agosto de 1887 en St. Ann's Bay, Jamaica) promovió el orgullo racial y la valorización de la cultura y la historia de África. El garveyismo, así denominado, tuvo sus raíces en medio de la estructura social de Jamaica organizada sobre los criterios de la clase social y el color de la piel, lo que colocaba a la amplia mayoría de la población en la base de la pirámide social —negros y pobres. Este resultado de la historia de colonización plantacionista se traducía en duras condiciones de vida y muy pocas oportunidades para estos sectores; por consiguiente, estaban prestos a escuchar lógicos razonamientos que promovían esperanza y un mejor futuro. Garvey vio en África el hogar ancestral donde el negro podía emprender acciones de poder político y económico basado en los vastos recursos naturales del Continente; su idea del nacionalismo negro se extendía a una nación africana más allá de las fronteras impuestas por el colonialismo y el imperialismo en el Continente y en la diáspora. La idea de *"Africa for the Africans at home and abroad"* fue la esencia de su proyecto de regreso a África (*Back-to-Africa*) que a largo plazo fracasó, no sin antes haber aglutinado en 43 países a más de cinco millones de seguidores (Campbell, 1985:54) de la UNIA, un movimiento de masas de la raza negra que influyó determinantemente en varias generaciones posteriores. A pesar de ser criticado como racista y excluyente por lo afrocentrista de su pensamiento y su obra, Garvey también tuvo un pensamiento anticolonialista; igualmente, a pesar de que el colonialismo ya ha sido derrotado hoy como sistema, no puede obviarse que su movimiento se mantuvo muy activo entre las dos guerras mundiales rivalizando contra las posiciones racistas intrínsecas de los sistemas coloniales (Lewis, 1988:187).[13]

El anticolonialismo de Garvey tuvo un basamento ideológico con argumentos políticos, sociales, culturales, religiosos, y con una profunda conciencia de la experiencia histórica de la esclavitud y sus consecuencias sociales y psicológicas. Esa misión la resume Chevannes (1995:95-99) en cuatro puntos fundamentales: 1. la descolonización e independencia de África, 2. la unidad africana y de los negros (UNIA), 3. la independencia y el trabajo en beneficio de los hermanos y hermanas, y 4. el orgullo racial.

Garvey adquiría conciencia de las deplorables condiciones de trabajo de los descendientes de esclavos y cimarrones que conformaban la mayor parte de la naciente clase obrera jamaicana y caribeña. Durante sus viajes por Centroamérica, había sentido en carne propia la explotación de la mano de obra barata en las minas y los campos agrícolas y debatió cuestiones laborales con sus compañeros de trabajo. En 1912, durante una visita a Londres, se relacionó con el intelectual egipcio-sudanés Duse Mohamed Ali; de esta amistad comprendió la importancia histórica y religiosa de la diáspora negra. Los trabajos de Booker T. Washington, particularmente *Up from Slavery*, también significaron mucho para su conciencia. Pero el libro que más influyó en Garvey fue probablemente *Ethiopia Unbound — Studies in Race Emancipation*, de Casely Hayford, colmado de ideas sobre la "salvación de la raza africana" (White, 1998:6).

Con tantas enseñanzas sobre la conciencia racial y la elevada reputación de sus exponentes, Garvey regresó a Jamaica el 15 de

[13] También ha sido explorada la influencia de Garvey en líderes de los movimientos antirracistas, anticolonialistas y por los derechos civiles de los negros en diversas partes del mundo.

julio de 1914. Después de casi dos años de ausencia y a menos de dos semanas de haber llegado a Kingston, fundó la Asociación Universal para el Mejoramiento del Negro y Liga de Comunidades Africanas (UNIA-ACL, siglas en inglés). Como lema de la asociación, Garvey había escogido: "¡Un Dios! ¡Un objetivo! ¡Un destino!", aparentemente inspirado en una línea de un capítulo del libro *Ethiopia Unbound.* En su país se daría cuenta de que la mayoría de su propio pueblo se mantendría hostil a sus ideas debido al fuerte arraigo de las consecuencias psicológicas de la esclavitud. Sin embargo, esto no era representativo de la tendencia dominante en el pensamiento social de la población negra, que aspiraba a una vida mejor, libre de las cadenas del colonialismo, aunque muchos eran incapaces de liberarse del prejuicio que les impedía reconocer su identidad racial y su vínculo con el continente africano.

No obstante, hacia 1924, luego de que Garvey reestructurara la UNIA, ya existían condiciones sociales para obtener un mayor apoyo en la tarea de educar a la mayoría negra en la conciencia y la identidad raciales; había viajado extensamente por los Estados Unidos, Centroamérica y el Caribe. Por ello sus ideas adquirieron más fuerza en esta ocasión. Una de sus armas más efectivas fue la religión.

Así se estableció un vínculo entre Jamaica y Etiopía, entre el garveyismo y el etiopianismo. Para los jamaicanos descendientes de esclavos, Etiopía comenzó a ser África, y África era Etiopía desde que en 1784 el ministro bautista norteamericano George Liele fundó en la Isla la Iglesia Bautista de Etiopía (Ethiopian Baptist Church). Además, la esencia de todo mesianismo radica en la espera de un redentor que haga realidad el milagro de una vida eterna de paz y de felicidad en una tierra prometida. Fue precisamente esto lo que predicó un siglo más tarde Alexander Bedward, un curandero jamaicano de quien se decía que había realizado varios milagros en Spanish Town a finales del siglo XIX y principios del XX, como anticipo del día en que el hombre negro sería el Rey Supremo. Con estos antecedentes, se explica por qué fue la religión uno de los medios que Garvey utilizó con efectividad para llegar con sus ideas a esa población. Entre otras cosas, fundamentó bíblicamente la necesidad de buscar una imagen de Dios consecuente con la raza. Sobre qué bases se podía afirmar que Dios era blanco, si "el espíritu no tiene color ni otras partes naturales ni cualidades". Pero si aun así había que describirlo, no vaciló en afirmar que para los negros "Dios es negro porque fuimos creados en su imagen y semejanza", con la misma convicción con que los blancos afirmaban que Dios era de su color (Potter, 1988:149)[14] tal como se dice en Génesis 1:26. Esta idealización de África se reforzaría con la lectura y la reinterpretación de algunos pasajes bíblicos, tales como el Salmo 68. Esta labor de Garvey tiene el valor de presentar a África en la década de los años veinte como centro paradigmático de identidad y orgullo racial, cuando apenas comenzaban a superarse los daños económicos y culturales que más de dos siglos de esclavitud ocasionaron en el negro, y cuando apenas se empezaba a adquirir conciencia de que los daños psicosociales (sentimientos de inferioridad, discriminación, prejuicios, etcétera) no se superarían fácilmente en el proceso de gestación del nacionalismo jamaicano.

Entre mayo y junio de 1926, la prensa de la época en Jamaica se hacía eco de "una nueva religión" (White, 1998:9-12), basada en algunos textos sacralizados, cuyas ideas tenían muchos puntos de contacto con los pensamientos de Garvey y propiciaron luego el fortalecimiento de la idealización de África, la repatriación milenaria, la concepción del Dios negro y la reinterpretación de la *Biblia* a través del prisma de la ideología racial. De ahí que Garvey haya sido considerado como el apóstol o profeta de esta emergente religiosidad. En ese momento, Garvey se encontraba en los Estados Unidos y los sectores de clase media y alta estaban interesados en planes para desacreditarlo. Sin embargo, Garvey no tuvo realmente una relación directa con la creación de organizaciones religiosas en torno a esos textos sagrados.

[14] Citado también en Chevannes, 1995:94. La religión fue simplemente uno de los elementos más influyentes de la ideología del garveyismo, ya que a través de ls discursos de Garvey sobre temas de historia, política y de la cultura también se arraigó el programa de su Asociación Universal para el Mejoramiento del Negro (UNIA).

Cuando el 2 de noviembre de 1930, Ras Tafari se convertía en el último de los emperadores etiopes, para los campesinos jamaicanos desesperadamente pobres no había dudas de que ese nuevo rey negro sería el redentor, ese Dios de Etiopía al que idealmente se refería Garvey, el Mesías del que hablaba Alexander Bedward.

Así se convirtió Haile Selassie I en el primer dios viviente que tuvo la historia de las religiones populares. Su deificación dio lugar al surgimiento, a partir de 1930, de Rastafari[15] como movimiento social y como nueva forma de religiosidad popular jamaicana; para devenir en la actualidad en un fenómeno cultural auténticamente caribeño, cuyos únicos vínculos con África son la figura mística y controvertida de Selassie I y el ideal de repatriación física o espiritual.

Dado que Robert Hinds[16] promovió la idea de que Selassie I era el Rey de Reyes que derrotaría el poder de Inglaterra y de todas las demás potencias coloniales (Chevannes 1995:138), Rastafari adquirió, ya desde su inicio, un carácter anticolonialista y contracultural, que se reforzaría a partir de la década de los sesenta. Ya sea como religión o como el movimiento sociocultural en que devino desde fines de la década de los cincuenta, se encuentra diseminado por todo el Caribe y por toda la diáspora africana, incluida Cuba.

La política interna de Selassie I no exhibió muchos logros y su actitud hacia sus súbditos estuvo llena de contradicciones. Selassie I no ocultaba, por ejemplo, su devoción por amaestrar y atender los leones de su palacio mientras su pueblo, con su nombre en los labios, moría como moscas debido a las penurias que no logró eliminar. Sin embargo, estos aspectos negativos de su carrera política nacional no impidieron que los Rastas dc Jamaica conti-

[15] No se conocen, sin embargo, a ciencia cierta, las razones por las que la religión y el movimiento social y cultural resultante se denominó según el nombre de pila de Ras Tafari, en lugar del nombre imperial de Haile Selassie I.

[16] Junto a Leonard Howell, Joseph Hibbert y Archibal Dunkley, Robert Hinds fue el más exitoso de los primeros líderes en los años treinta y cuarenta debido a los cientos de seguidores que logró unir alrededor de la organización que él denominó King of Kings Mission.

nuaran considerándolo divino, quisiéralo él o no, haciendo caso omiso de lo que ellos debieron haber llamado "argucias políticas de la difidencia del Emperador".

Una realidad histórica reafirma la deificación. Etiopía es una de las primeras regiones cristianas del mundo y ha devenido también en símbolo de resistencia ante el colonialismo europeo al permanecer inconquistable durante siglos de reparto imperial de tierras en el Continente, por lo que no es casual que estos títulos expliquen, entre muchas otras coincidencias, que se considere al Emperador como el Mesías del regreso a la tierra prometida. Estos y otros elementos aportaban suficientes razones para su divinización entre los jamaicanos pobres, descendientes de esclavos, sobre todo los de las zonas rurales que quedaron marginados de los procesos económicos y nacionalistas de principios de siglo XX. En el país ya germinaba una conciencia panafricanista, se había fundado una Asociación Panafricana en 1901, pero para estos grupos sociales, la fe y la religión resultaban la única vía de escape.

Este corto proceso cultural e histórico desnaturalizó la persona del Emperador y lo convirtió en un ser sobrenatural, inmortal, denominado "Jah", alrededor del cual surgió Rastafari como una expresión religiosa monoteísta, mesiánica y milenaria: el punto culminante de la idealización de África en la historia jamaicana. Según los aportes de François Houtart para el estudio del papel de las religiones en los movimientos de cambio social, Rastafari surgió como un movimiento de resistencia con referentes precapitalistas. Específicamente, es uno de los movimientos de reacción de identidad anclada en el pasado con tendencias fundamentalistas, en el cual el papel de las religiones fue un tanto más fuerte que en otros movimientos, al menos en el momento de su surgimiento y auge, ya que los "agentes religiosos eran también agentes políticos" (Houtart, 1998).

Tres etapas

El surgimiento de Rastafari y su posterior evolución es el resultado de un bregar históricamente determinado a partir del desarrollo e influencias de las ideas anteriores. Este proceso puede periodizarse a manera de resumen en tres etapas.

En la primera etapa, desde los años treinta hasta finales de la década de los cincuenta, Rastafari se desarrolla en Jamaica como una vía de escape milenario y una respuesta cultural alternativa o contracultural ante el colonialismo y sus consecuencias. Esta característica se mantiene en las dos fases posteriores. El rasgo más importante de esta etapa fue la propagación de la idea del Dios negro y la divinidad de Haile Selassie I, pues a partir de este momento se afianzó como una manifestación religiosa. Tanto la palabra oral como la *Biblia* y las imágenes de un Cristo negro desempeñaron un papel primordial entre los primeros conversos: una masa de campesinos pobres y sin propiedades que comenzaba a habitar las ciudades en una importante migración interna que reorientaba sus vidas, y un número substancial de emigrados que regresaban después de probar suerte en Panamá, Cuba y otros territorios del Caribe.[17]

Desde el punto de vista social, la invasión italiana de 1935, la ocupación fascista y la Ethiopian World Federation (EWF) influyeron tanto en los primeros conversos como en una segunda generación de Rastas más jóvenes, llamada los Youth Black Faith, que introdujo nuevos elementos en la actual imagen de Rastafari como los *dreadlocks*, el lenguaje, el uso espiritual de la marihuana y la concepción rebelde de la sociedad, llamada Babilonia (Chevannes, 1995:154-170). Por otra parte, los disturbios que la depresión capitalista provocó en Jamaica en 1938, la conciencia política creciente y el movimiento obrero exacerbaron la conciencia de clase, además de la ya vital conciencia racial. Por otro lado, las ideas de la EWF también remodelaron a mediados de los años cincuenta la concepción garveyista de la repatriación,

[17] Muchos regresaron, incluso con familia, desde Cuba, donde la UNIA había tenido un gran éxito. Laurel Aitken, el *Padrino del Ska* (música popular jamaicana antecesora del reggae), nació en Cuba y se mudó a Kingston con su familia en 1938. También nació en Cuba Rita Anderson, viuda de Bob Marley, quien desde temprana edad creció en el ghetto de Trenchtown, en Kingston. Datos biográficos tomados de http://www.reggaetrain.com/bioritamarley.html, y http://www.reggaetrain.com/biolaitken.html, 15 de enero de 2002.

luego de que Selassie materializara un otorgamiento de tierras en la provincia etiope de Shoa. En este período la membresía Rasta creció incalculablemente en pocas semanas ya que nunca antes se vio tan cerca la posibilidad real de *regresar* a la tierra de los ancestros.

La segunda etapa abarca toda la década de los sesenta. Rastafari se manifestó en toda su dimensión: como religión, como movimiento social, político y cultural. Continuaron los importantes cambios políticos en Jamaica, el Caribe y África. Como resultado de la acción de los movimientos de liberación nacional, un gran número de países de África y el Caribe obtuvieron la independencia política en los primeros años de la década (Furé Davis, 2000). Lo que entonces podía llamarse "un movimiento", se consolidó en esos años para reafirmar la herencia garveyista de la conciencia racial; "para llamar la atención de la sociedad jamaicana sobre la necesidad apremiante de enraizar la identidad y la unidad nacional en el reconocimiento de los orígenes de la mayoría negra" (Nettleford, 1970:110), como forma de protesta ante el *status quo* de esa mayoría para secularizar al movimiento, sepárandolo de su orientación estrictamente religiosa (Hardwick, 1975:290), y para borrar aún más las fronteras entre los que querían su salvación en Etiopía y los que la deseaban en Jamaica (Hardwick, 1975:95). El primer hecho significativo de esta etapa es una evidente preocupación gubernamental satisfecha por la presentación a las autoridades del *Informe sobre el Movimiento Rastafari* elaborado por especialistas del entonces University College of the West Indies (Smith *et al*., 1960). Posteriormente se sucedieron diversos acontecimientos políticos, sociales y culturales que fueron hitos en su desarrollo; entre ellos, la visita de Haile Selassie a Jamaica en 1964, la repatriación de los restos de Garvey en 1966, la identificación con el renacimiento negro norteamericano y con la ideología del movimiento Black Power en los EE.UU., y sobre todo en el Caribe a través del intelectual guyanés Walter Rodney.

Otro hito en este período fue la absorción de muchos jóvenes de los ghettos urbanos por la filosofía del movimiento; ellos aportaron su herencia social, espíritu emprendedor y ansias de rebeldía resultantes de haber crecido en condiciones de franca pobreza. Algunos subvirtieron la ideología Rasta y simbolizaron un sector de la población juvenil violento, rechazado por la sociedad en general. Otros se nutrían ideológicamente de las generaciones anteriores. A finales de la década, como resultado de la evolución de la música popular jamaicana, surgía el reggae como vehículo de proyección evidentemente crítica hacia la sociedad; entonces, muchos jóvenes como Jimmy Cliff, Bob Marley, Peter Tosh, etcétera, ya habían comenzado una carrera vinculada a la música y eventualmente utilizarían el nuevo ritmo para expresar anhelos Rastas y censurar con fuerza el orden social vigente. También desde el punto de vista cultural, Rastafari tuvo más representación en la literatura regional y se extendió además a las artes visuales, incluyendo el cine.

Al comenzar la década de los setenta, en su tercera etapa, Rastafari y reggae constituían ya un sistema articulado alrededor de una unidad temática, donde los problemas sociales y una visión realista del futuro eran preocupaciones fundamentales. El ascenso de la leyenda Bob Marley marcó el inicio de una ininterrumpida globalización cultural del sistema Rasta-reggae hasta nuestros días. En esta fase se fortaleció la secularización y los entonces símbolos religiosos y atributos espirituales —la bandera tricolor roja, amarilla y verde; los *dreadlocks*, y otros—- fueron adoptados por gentiles en todo el mundo y utilizados por esnobismo, al mismo tiempo que inducían a otros a aceptar la cultura Rastafari en toda su dimensión, de modo que surgieron cientos de miles de nuevos y diferentes adeptos. Desde entonces comenzó a ponerse en duda la divinidad de Haile Selassie I, y por lo tanto se diversificó la percepción de la realidad con perspectivas más objetivas.

La difusión mundial llegó a tal punto que a fines de la década de los noventa, las ciencias sociales comienzan a hablar de "Rastafari en el contexto global" desde una perspectiva interdisciplinaria para explicar la diversidad y universalización de lo que antes era más homogéneo y local. En ese corto lapso de tiempo, devino objeto de diversos estudios a nivel mundial por ser entre otras cosas un resultado de un dinámico proceso de síntesis *sui generis* de ideologías y creencias religiosas caribeñas y de origen africano (Chevannes, 1998a) y por hacer suyo un ritmo que a su vez le sirvió de vehículo para la difusión internacional. Como resultado de este proceso, esta cultura se ha convertido en un símbolo regional; el sistema Rasta-reggae es uno de los elementos más significativos de la identidad cultural del Caribe, no sólo en la región sino también para la diáspora caribeña a nivel mundial. En esta expansión simultáneamente regional y global, Rastafari ha mantenido características comunes en los diversos espacios de su presencia global al mismo tiempo que existen diversos tipos de Rastafari.

Como cultura globalizada, se pueden identificar tres valores esenciales que constituyen rasgos homogéneos dentro de la diversidad, a saber:

1. Antihegemonismo: Donde quiera que existe, sus partidarios viven al margen de una cultura dominante o en un ambiente multicultural y cosmopolita junto a otras manifestaciones culturales y grupos étnicos con los que interactúan sin perder su esencia. adaptándose a las características culturales de cada país, pero sin ceder a cambios esenciales de su filosofía, simbología y modo de vida. Este carácter contestatario se manifiesta individual o grupalmente. No es común encontrar niveles de organización y liderazgo que refuercen la unidad alrededor de un movimiento.
2. La música reggae: Como vehículo de expresión *par excellence*, la música que los simpatizantes cultivan en todos los rincones del mundo exhibe aún hoy, a pesar de múltiples variantes y concesiones al comercio y la tecnología, una unidad temática coherente basada predominantemente en la ideología Rasta.
3. Una ideología común: A pesar de que Rastafari es reinterpretado de diferentes maneras por diferentes individuos en diferentes lugares —como religión, moda o modo de vida—, ser o considerarse un Rasta en cualquier parte del mundo presupone, entre otras cosas e independientemente del color de la piel, abandonar los prejuicios coloniales, racistas y estereotipos de

belleza eurocéntricos que denigran la condición de ser negro, amar la naturaleza y la paz. Asimismo, parte de la generalidad del ser Rasta es asumir otros rasgos simbólicos que conforman una identidad individual o grupal, como un lenguaje característico, una imagen, el uso de atributos con significados alegóricos a las raíces africanas, la historia y la figuras principales de esta cultura. Esta simbología también es usada mundialmente por simpatizantes de todas las latitudes, incluso por aquellos cuya atracción por la ideología Rasta está motivada por el esnobismo más que por un ideal consciente. Igualmente, muchos seguidores a nivel mundial observan normas o restricciones autoimpuestas más o menos homogéneas, tales como una dieta vegetariana.

Surgimiento en Cuba

El surgimiento de esta cultura en Cuba no es sólo resultado de la expansión global, sino sobre todo de las similitudes dentro de la diversidad regional caribeña. Cuba comparte con la región el mismo sustrato histórico y cultural a pesar de las diferencias entre las subregiones hispano y angloparlante. La composición étnica de *pueblos nuevos* , el mestizaje, la interacción entre raza y clase en la infraestructura de la sociedad, la existencia de estructuras musicales fácilmente fusionables y otros elementos histórico-culturales son la causa de similitudes que facilitaron el arraigo de la cultura Rastafari en algunos grupos sociales, como se evidenció en las entrevistas y grupos de discusión. En otras palabras, era demostrable que para un cubano, la identificación con esta cultura resultaba más factible y lógica que para un japonés o un ruso, cuya referencialidad histórico-cultural está en coordenadas diferentes.

En este epígrafe expongo, en apretada síntesis, los resultados de las pesquisas realizadas. Se describe y explica de manera analítica y cualitativa el proceso de surgimiento y arraigo de la cultura Rastafari en Cuba. Se habla fundamentalmente de un sector social: el juvenil, dentro del que se incluye el estudiantil (medio y universitario) y el trabajador (sobre todo el obrero). En esta población se prestó especial atención a los grupos sociales identificables por rasgos e intereses comunes como gustos similares por una moda o una música, un nivel cultural o educacional parejos, comunidad de opiniones en cuanto a la filiación racial, preferencias sexuales u otros rasgos que crean afinidades entre grupos de personas.[18] El procesamiento de la información obtenida hace posible describir como sigue el escenario de entrada y las causas del arraigo de la cultura Rastafari en Cuba.

La cultura Rastafari entra a Cuba como uno de los estilos de vida alternativos de la juventud. Es en algún momento impreciso hacia fines de la década de los setenta cuando se puede marcar el inicio de su desarrollo a partir de tres circunstancias relacionadas con el contexto social urbano, tanto en la capital como en otras ciudades o regiones importantes como Santiago de Cuba, Cienfuegos y la Isla de la Juventud.

En primer lugar, el proceso colateral más importante fue la entrada del reggae a Cuba progresivamente en los años setenta, a pesar de ser una música foránea, en inglés o inglés jamaicano, y de estar por lo tanto casi ausente de los medios de difusión (radio y TV). Durante estos años, el grupo de personas involucradas era muy reducido; algunos me comentaron que incluso la palabra "Rastafari" no era de amplio conocimiento entre ellos como hoy y, por supuesto, era prácticamente desconocida en el resto de la sociedad; de ahí puede deducirse que el vehículo principal era entonces el reggae, no el trasfondo religioso de la divinidad de Selassie I ni otros elementos esenciales de la simbología Rastafari.

En segundo lugar, durante la década de los noventa se combinaron dos factores que complementaron el proceso sociocultural anterior de los setenta, a saber, la apertura religiosa que vivió el país a partir de 1991 y el auge del turismo internacional. En 1991,

[18] En este comentario de los grupos sociales dentro del sector juvenil estudiado aclaro que las consideraciones en cuanto a género no son objeto central, pero la mayoría de los sujetos de esta investigación son hombres que imponen consensualmente distinciones de "roles" sociales a sus parejas y al sexo femenino en general.

cuando el IV Congreso del PCC aprobó que la selección de sus miembros no consideraría las creencias religiosas como un obstáculo,[19] se reconocieron oficialmente y se develaron socialmente creencias religiosas diversas. Durante los primeros años del Período Especial, hubo una "explosión religiosa" (Calzadilla y Pérez, 1997:19-22; Díaz y Perera, 1997:18-19). Ya se conocía el significado de Rastafari, momentos y figuras importantes de su historia como Garvey, sus preceptos ideológicos y religiosos aunque había gran falta de consenso entre los Rastas de entonces en muchos aspectos. Además, el número de turistas, potenciales portadores de música reggae e información cultural diversa, creció notablemente en pocos años de esa década. No sólo se ampliaron las posibilidades para la entrada del reggae en Cuba, de información y nuevos estilos, sino que muchos visitantes extranjeros venían ya con la expectativa de relacionarse con este grupo social en ascenso. El número de Rastas aumentó de forma sensible, no sólo por la mayor exposición al reggae, sino entre otras cosas debido al proselitismo inicial entre los más jóvenes o nuevos simpatizantes por parte de aquellos que desde la década anterior ya eran conocedores. Como hecho importante en esta etapa pueden mencionarse las reuniones de uno de los grupos más *ortodoxos* de La Habana —la comunidad[20] Rasta en el barrio de La Corea, municipio de San Miguel del Padrón—, que comenzaron poco tiempo después de 1991.

En tercer lugar, vale destacar la presencia en Cuba de varios estudiantes del Caribe inglés y de Etiopía, conocedores de la cultura Rastafari o practicantes. La interacción de ellos con estudiantes cubanos produjo un aumento mutuo del interés por ejercer y divulgar la información más exacta que traían de sus respecti-

[19] *Documentos y Resoluciones del Cuarto Congreso del PCC* (1991). Editora Política, Ciudad de la Habana.

[20] El uso de este término es una reminiscencia de la forma de vida espiritual entre grupos de Rastas de otros países, sobre todo de Jamaica durante los años sesenta; de hecho vivían más o menos concentrados en algunas zonas aunque no exclusivamente ocupadas por ellos. Aquí "comunidad" significa solamente unidad de intereses comunes de un grupo de personas que se reúnen o el lugar de esos encuentros, no el lugar donde hacen vida social.

vos países. Algunos dejaron crecer sus *dreadlocks* junto a sus hermanos de fe cubanos y tuvieron una decisiva participación en las congregaciones semanales del grupo de La Corea. Además, tradujeron al español literatura diversa (textos sobre Garvey, Selassie y otros temas) y muchos textos de reggae. A los etiopes les tocó la responsabilidad de satisfacer la curiosidad de algunos amigos cubanos por el idioma, a quienes les dieron algunas lecciones de amárico, la lengua principal de Etiopía. La presencia activa de estudiantes extranjeros en el surgimiento y desarrollo del Rastafari cubano se hizo sentir fundamentalmente en la Ciudad de La Habana.

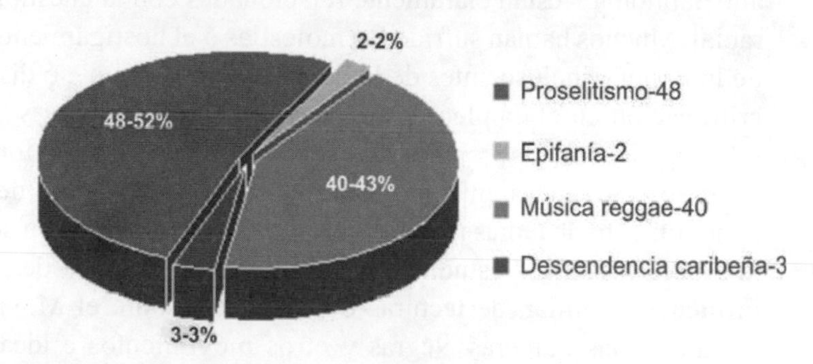

Aquellos que comenzaron a conformarse esta nueva identidad cultural microsocial con la aceptación primero del reggae y luego de la ideología Rastafari, fueron jóvenes en busca de nuevas formas de expresión; esa búsqueda fue estimulada por uno o varios de los siguientes cinco factores o experiencias sociales compartidas por muchos, que asumieron a Rastafari en esos inicios como un *refugio espiritual*. Estas experiencias fueron recogidas de las decenas de entrevistas o debates y aparecen procesadas y enumeradas aquí en orden de prioridad aunque no son mutuamente excluibles, *i. e.*, una misma persona a menudo aludía a una, dos o más de estas experiencias. Entre comillas utilizo sólo pequeñas frases tomadas textualmente de esas entrevistas, puesto que en el resto del libro aparecerán fragmentos más ilustrativos de estas ideas.

1. *El sentimiento de frustración por los prejuicios raciales existentes a pesar de los cambios revolucionarios*. El racismo es un concepto político, los prejuicios raciales son un concepto psicosocial. La práctica del racismo depende del gobierno en el poder y es la manifestación de la ideología de la clase social dominante. Sin embargo, a pesar de que un gobierno en el poder llegue a eliminar de la Constitución toda práctica legal del racismo, los prejuicios quedan "en la mente de las personas" en forma de estereotipos (Storey, 1996:236-7).[21] Así me lo expresaron muchos Rastas, todos negros o mestizos, cuyas ideas antiBabilonia[22] están claramente relacionadas con la cuestión racial. Muchos habían sufrido las molestias o el hostigamiento de la Policía, incluso antes de la llamada "conversión", o discriminación en el empleo, y rápidamente estas actitudes son relacionadas con los prejuicios raciales. Estas experiencias fortalecieron sus ideas en torno a un orgullo racial nutrido del conocimiento de temas raciales que algunos adquirieron en su interacción con los estudiantes extranjeros, por la vía de la influencia familiar, de lecturas o de debates sobre el Movimiento de las Panteras Negras y otros movimientos e ideas nacionalistas e independentistas. Aunque algunos no mencionaron nombres de paradigmas negros cubanos, sí aludieron a figuras como Malcom X, Fanon, Lumumba, Garvey y otros. Por ello, "ver la luz" era descubrirse a sí mismos como negros,

[21] Considero esta simple definición: "Estereotipo es una concepción estandardizada de un grupo específico de personas u objetos [...] fuerzan un patrón simple en una masa compleja y asignan un número limitado de características a todos los miembros del grupo. Si bien el término se utiliza comúnmente aplicado al ser humano, también es posible estereotipar objetos". "En la cultura popular podemos examinar ambos tipos de estereotipos [...] a las personas se les estereotipa con la edad, el sexo, la raza, la religión, la vocación y la nacionalidad". (Storey, 1996:236-237).

[22] La idea de Babilonia y otros aspectos de esta ideología se explican posteriormente en este mismo capítulo sin pretender agotarlos.

asumir una identidad racial, además de ser cubanos e identificarse con las raíces africanas de sus ancestros.

2. *Afinidad con el concepto de cultura de la resistencia inherente a Rastafari*. En el contexto cubano, es necesario resaltar que la resistencia entre los verdaderos Rastas se manifiesta en la oposición abierta y desafiante a los prejuicios antinegro, se trata también de purificar la imagen del Rasta ante la sociedad en general y de transformar los estereotipos de belleza eurocéntricos y occidentales, *e. g.* "el pelo malo que no puede crecer". Estas tres actitudes están estrechamente relacionadas. Para algunos, Rastafari es "una vía de escape de la hostilidad de los vecinos", al mismo tiempo que se identifican con otros Rastas. Por otra parte, cada Rasta tiene su propia idea de Babilonia vinculada con sus experiencias personales, asimismo cada uno asume diferentes estilos de vida: algunos tomaron el camino positivo que implica el lema "*Peace and Love*", mientras otros asumieron conductas reprensibles que han dejado impresiones negativas en el resto de la sociedad. Los primeros promovieron acciones de organización y unidad para contrarrestar el efecto de los segundos. Tanto en unos como en otros, la resistencia es una conducta contestataria que asume la forma de actos de trasgresión, ya sea en defensa de los valores culturales positivos o diseminando aspectos sociales negativos en correspondencia con la actitud asumida.

3. *La aceptación de creencias religiosas*. La apertura religiosa posterior a 1991 se hizo sentir en los jóvenes. Una de las investigaciones del Departamento de Estudios Socio-Religiosos del Centro de Investigaciones Psicológicas y Sociológicas del CITMA afirma que "producto de la situación prevaleciente florecieron estados de ánimos de frustración, desesperación, angustia y escepticismo" entre las jóvenes generaciones, que comenzaron a utilizar símbolos diversos y a asistir a celebraciones con más frecuencia que antes de 1991 (Díaz y Perera, 1997:18-19). Quienes deseaban expresar su fe, tenían la libertad de escoger su Dios y su religión o mezclar creencias existentes con nuevas opciones. A diferencia de otras religiones,

Rastafari[23] permite "más libertad de pensamiento" y menos ortodoxia. Dados los prejuicios raciales en Cuba; las relaciones de Rastafari con África; la reinterpretación de la *Biblia*, sobre todo el Antiguo Testamento, y la posición de resistencia, trasgresión, confrontación, Rastafari se presentó en esos años como una alternativa sugerente para algunos jóvenes con estos intereses.

4. *La simple apropiación de la simbología (símbolos y atributos)*. Algunos jóvenes, hombres y mujeres, utilizan la simbología rastafariana sin estar plenamente conscientes, "ajenos al significado verdadero". Para ellos el reggae, por ejemplo, puede ser simplemente una "música que levanta el ánimo y el espíritu"; "cuando lo ponen en las fiestas, mucha gente empieza a moverse". El peinado afro o los *dreadlocks* pueden ser una imitación para lucir igual que Angela Davis, los Black Panthers o Bob Marley. Según este criterio, la conversión a Rastafari es sólo una moda esnobista, en muchos casos temporal, una etapa inicial de tránsito hacia una mayor conciencia y conocimiento del significado de los objetos.
5. *La identificación de las raíces anglocaribeñas*. Algunos descendientes de segunda o tercera generación de inmigrantes anglocaribeños encontraron en Rastafari una forma de asociar su vida actual con sus raíces; o sea, "los descendientes siempre van a la raíz". En Baraguá, provincia de Ciego de Ávila, radica una de las más influyentes y activas comunidades de descendientes caribeños; allí vivió un tiempo uno de los actuales Rastas, cuya abuela regresó a a Barbados, su país, en 1994. Ese viaje "despertó el interés por las cosas del Caribe" y por esa vía llegó gradualmente a conocer Rastafari. Solamente dos de los entrevistados son descendientes que manifestaron llegar a Rasta a través de la influencia de las raíces caribeñas de sus familiares.

[23] No se puede ser absoluto al considerarlo una religión puesto que hay diversidad de criterios y se asume de distintas maneras. En un epígrafe posterior se intenta esclarecer este polémico aspecto.

"¿Marginal yo...?"

Sólo uno trabaja, los demás
son músicos, pintores, artistas...
Un profesor de la Universidad de La Habana

En un ejercicio académico en la Universidad de La Habana, la defensa de una tesis de licenciatura sobre la inserción social del Rasta en Cuba, un profesor, desde su posición de autoridad, fundamentaba su crítica a la muestra científica de la autora con la afirmación del epígrafe que encabeza este capítulo. El murmullo en la sala surgió repentinamente, dejando entrever el desacuerdo generalizado de la mayoría del público asistente ante la falacia académica presentada. Esto ocurría precisamente con posterioridad a la implementación del autoempleo o "cuentapropismo" y de un conjunto de regulaciones a la actividad económica privada. En esta escena real se apreciaban dos discursos: uno hegemónico minoritario pero dominante, y otro subordinado pero mayoritario.

De lo anterior se puede inferir que uno de los lados más sensibles y polémicos de la cultura Rastafari es el tema de la marginalidad, no solamente en Cuba sino en el resto del mundo. Esto parece una cuestión evidente y sin discusión; sin embargo, en alguna que otra ocasión, a pesar de su carácter subcultural, o a veces contracultural, en Jamaica, por ejemplo, los círculos de poder han desenterrado la simbología de esta forma de expresión para usarla en función de intereses e incorporarla al discurso dominante. Sólo para ilustrar lo dicho y asumiendo el riesgo de las comparaciones, volvemos a nuestro referente más cercano, Jamaica, como un modelo de cómo se produce esta dinámica.

Aspectos de la marginalidad del Rasta en Jamaica y el mundo

Esta manipulación ocurre a partir de sus expresiones culturales, *i. e.*, del uso de la símbología que la identifica. A partir de su visita a África en 1970 como líder de la oposición, y sobre todo durante la campaña electoral que le dio un rotundo triunfo, Michael Manley utilizó, intencionalmente y con todo el significado que tenía para la simbología Rasta, un bastón multicolor que le había regalado Haile Selassie I y el tema musical —era un reggae, por supuesto— "Bettah must come", de Delroy Wilson, para identificar su campaña (White, 1998:263-265; Chevannes, 1998:66-67). Este aprovechamiento de los símbolos sacaba al Rastafari de un estado de franca marginalidad y exclusión para ser de utilidad, en este caso, en un proceso político nacional. Ya habían pasado algunos años de los trágicos sucesos que culminaron con la demolición de la comunidad rastafariana de Pinnacle en 1954 y el allanamiento y destrucción total, por el Gobierno, de Back-O-Wall, una de las barriadas más pobres de Kingston, el 12 de julio de 1965, y de otras comunidades similares más pequeñas donde vivían muchos Rastas.

Sin embargo, desde su surgimiento en las zonas rurales de Jamaica como tendencia sociorreligiosa en los años treinta y desde su posterior consolidación hasta los años sesenta como movimiento sociocultural más amplio en las zonas urbanas de la Isla, Rastafari estuvo matizado por una unidad de clase y raza que lo identificó, sobre todo a partir de su expansión en la ciudad, como herramienta de resistencia cultural de muchos negros y pobres ante la cultura hegemónica y frente a los actuales retos de la globalización cultural, la transnacionalización y la creciente occidentalización o americanización neoliberal de las sociedades tercermundistas.

Esto puede apreciarse desde varias aristas. Desde el punto de vista religioso, ha sido consecuente con la concepción del Dios negro que refleja en su misma imagen y semejanza a esos sectores negros y pobres. Desde el punto de vista social y a partir de su desarrollo metropolitano, Rastafari se asentó en Jamaica donde único podía hacerlo, en las áreas suburbanas[24] de la ciudad, devenidas ghettos o *yards*, y casi automáticamente fueron desclasificados o excluidos por los sectores sociales culturalmente hegemónicos dentro del contexto colonial. El hacinamiento, el consecuente deterioro de las condiciones de vida y la falta de oportunidades de acceso al empleo, la educación y la cultura debido al sistema económico que, aun después de la independencia, no podía aislarse de los centros corporativos de poder económico, entre otros factores, fueron terreno de cultivo para la práctica de estrategias de supervivencia colectiva en medio de ese mundo urbano hostil. En más de una ocasión, el Rasta sufrió acciones represivas extremas de manos del Gobierno y la Policía durante los años cincuenta y sesenta; los motivos de estas operaciones eran diversos: *e. g.*, la lucha contra el comercio y el consumo

[24] Suburbanas no solamente por su ubicación geográfica en los márgenes, sino por las malas condiciones de vida, las desventajas económicas, etcétera, que también contribuyen desde entonces a caracterizar lo marginal.

de la marihuana (Campbell, 1985:106-107); las reales o supuestas asociaciones con el crimen, la violencia y comportamientos antisociales (Murrell, 1998:191,200); o incluso la subjetiva apariencia física que la literatura ha recogido y criticado con imágenes como la "barba llena de líquenes/ cerebro lleno de piojos".[25]

Dado el carácter histórico de este proceso de marginalización y exclusión, la situación trascendió el contexto colonial y se exacerbó después de la independencia en 1962. Desde el punto de vista cultural, "la marginalidad, aunque permanece en la periferia con respecto a la corriente principal, nunca ha sido un espacio tan productivo"(Hall, 1992a:24). No obstante, Rastafari fue creciendo en importancia paulatina y gradualmente, lo que favoreció su inserción en las corrientes de la plástica y literarias del Caribe y en el panorama musical internacional, ya que la concepción y los rasgos distintivos de la identidad cultural de la nación jamaicana y del Caribe, en general, tenían en Rastafari un componente de peso a pesar de ser minoría numérica. En otras palabras, se constituyó como uno de los ingredientes medulares de la "revolución cultural"[26] en el Caribe anglófono. Por último, desde el punto de vista político, desde los años sesenta, se confirmó la imposibilidad de desatender un sector social cada vez más notable e influyente en las aspiraciones políticas de cualquier partido jamaicano.

En los convulsos años sesenta y setenta, Rastafari se desarrolló y se extendió por todo el Caribe y el mundo como un movimiento social marginado, a pesar de las primeras preocupaciones académicas por explicar su esoterismo y dar a conocer sus características culturales inadvertidas y de interés para la sociedad.[27]

[25] Traducción mía de este fragmento del poema "Wings of a Dove" de Kamau Brathwaite, según aparece en Ileana Sanz (Ed.) (1986:130). "*Brother man the Rasta/man, beard full of lichens/brain full of lice/...*"

[26] Este término ha sido utilizado por Stuart Hall (en entrevista radiada en julio de 1977, citada por Hebdige (1979:35), y por Kamau Brathwaite ("La revolución cultural del Caribe anglófono". Ciclo de conferencias dictadas en la Casa de las Américas, Ciudad de la Habana, los días 18 y 19 de abril de 2000), entre otros.

[27] Ejemplos de estas tempranas publicaciones son el libro *Family and Colour in Jamaica*, de Fernando Henriques (Eyre & Spottiswoode, Londres, 1952), y el *Informe sobre el Movimiento Rastafari*, de Smith, Augier y Nettleford (1960). Después se publicó ampliamente en Jamaica e internacionalmente una amplia bibliografía.

En Inglaterra, por ejemplo, donde ya existía desde la década de los cincuenta un centro sociocultural y una identidad de diáspora en torno al Caribe como región, el Rasta tendría que sobrevivir frente a una cultura dominante y ante la presencia de otras subculturas emergentes y diversas;[28] poco a poco se resistían a encajar en los moldes metropolitanos de lo negro (*blackness*). Surgió entonces un *estilo* de vida: "una combinación expresiva de cabellos trenzados, de camuflaje khaki y de 'yerba' que proclamaba inequívocamente la enajenación sentida por muchos jóvenes británicos negros" (Hebdige, 1979:36).[29]

Lo marginal del Rasta cubano

A pesar de la indiscutible significación cultural, la marginalidad ha sido parte de la esencia de esta forma de expresión en toda su difusión global y, por supuesto, también en el caso cubano. Parto del hecho de que Rastafari en Cuba no difiere esencialmente de las diversas manifestaciones que se pueden encontrar en todo el mundo,[30] como había señalado antes, a pesar de las inevitables y diversas interpretaciones y adaptaciones a la realidad cultural cubana.

[28] Me refiero a la coexistencia con otras subculturas —y utilizo el término con toda intencionalidad tanto por la posición de inferioridad y subordinación como por la localización en espacios microsociales reducidos—, sobre todo aquellas marcadas por la presencia de la juventud o que evolucionaban alrededor de ritmos como el jazz, el blues; y a la interacción con las manifestaciones, menos subculturales, de origen fundamentalmente anglosajón más difundidas del país como el rock and roll y el rock.

[29] En el original se lee: *"...the cult of Rastafari had become a 'style', an expressive combination of 'locks', of khaki camouflage and 'weed' which proclaimed unequivocally the alienation felt by many young black Britons."*

[30] Menos que un hecho, esta idea era inicialmente una hipótesis de esta investigación, pero esto me llevaba por un camino menos multidisciplinario, más restringido y por un perfil más antropológico. No obstante, los resultados preliminares de los años iniciales de la investigación apuntaban a esto. Además, a juzgar por los resultados del trabajo del grupo internacional de investigadores y profesores que se dedicaron a las expresiones y manifestaciones de Rastafari en el contexto global, se puede elevar esta hipótesis al rango de un hecho.

Para debatir las cuestiones de la marginalidad, y luego de conceptuar lo que esto significa en Cuba, examinaré brevemente algunos factores por los cuales puede decirse que el Rasta cubano es también marginal.

La marginalidad está en estrecha relación con las *políticas culturales de la diferencia*. La marginalidad, según Stuart Hall, destacado teórico marxista de los estudios culturales caribeños, es resultado de las luchas en torno a la diferencia, del surgimiento de nuevas identidades y de la aparición de nuevos sujetos, tanto en el plano cultural, como en el plano político. Esto es válido no sólo para el negro y otros grupos étnico-raciales, sino también para otros movimientos, como los sexistas de lesbianas y homosexuales (Hall, 1992a:24).

Sin embargo, "marginalidad", al parecer, no tiene la aceptación necesaria como para aparecer en todos los diccionarios y glosarios de sociología y teoría cultural. En su lugar, aparecen términos como "subcultura" o "estilo de vida", que igualmente se definen y se caracterizan desde la subordinación con respecto a una cultura dominante.[31] Estos significados, presuponen tres reacciones principales, a saber, la defensa o protección —entiéndase acción pasiva—, la resistencia —acción más activa— y transformación o readaptación ante las condiciones del contexto local (Cohen, 1980-1997:154).

Otros enfoques, sobre todo en las escuelas de estudios culturales latinoamericanos y británicos, que abordan grupos y sujetos como la juventud, la mujer, etcétera desde el prisma multicultural, colocan sus planteamientos en relación con una cultura dominante, aunque no necesariamente en oposición a ella. Desde una perspectiva militante identifican en mayor o menor grado la relación con los conceptos de clase, raza, género, edad y posición social de los grupos sociales estudiados en las relaciones de poder.

No obstante, los elementos teóricos más apropiados para caracterizar la marginalidad en el Rasta cubano son, a mi juicio,

[31] Ese es el caso de las compilaciones terminológicas de Peter Brooker (1999) *A Concise Glossary of Cultural Theory* (Arnold, Londres), y de Tim O'Sullivan *et al.* (1994) *Key Concepts in Communication and Cultural Studies* (Routledge, Londres y Nueva York).

aquellos expuestos en las mesas redondas organizadas por la revista *Temas*.

En una de ellas, se abrió un espacio de reflexión sobre el problema de la marginalidad. Sociólogos y otros investigadores con intereses multidisciplinarios y heterogéneos llegaban a un acuerdo casi consensual sobre las complejidades y peculiaridades del fenómeno de la marginalidad en nuestro país: la conjugación de las políticas económicas, sociales y culturales de la Revolución; la integración social; el acceso a oportunidades de educación, cultura, salud y otros servicios a pesar del "bajo nivel de participación social efectiva" de estos sectores, todo ello, impiden hablar de exclusión, sino sólo de marginación donde sea pertinente, a diferencia de otros países subdesarrollados.[32]

La marginalidad existe y es parte del sistema socioeconómico. En cuanto a los Rastas, ésta se presenta como un problema social y cultural que resurgió en los críticos años noventa. Esto sin dejar de tener en cuenta las raíces históricas de la marginalidad heredada en Cuba del pasado, aquella vinculada a la clase social y a la cuestión racial, y las manifestaciones de marginación superadas ya por nuestro proceso social en los años de Revolución. El marginal no está excluido, sólo está al margen. Pero decir que Rastafari es una cultura popular marginal implica establecer algunos límites a este concepto. Según el debate citado antes,[33] la marginalidad en Cuba:

- Es un reordenamiento social, no individual, que se reproduce, por lo general, en determinado entorno urbano.
- Se caracteriza por la lucha por la existencia, la subordinación de todo a esa lucha, y por la abstracción del futuro en función del presente.
- Es un proceso, no un estado, que se deriva de la falta de acceso o escaso acceso a oportunidades de creación y disfrute de "capital social".
- Se reproduce por tres factores principales: la crisis en el contexto actual, que ha puesto a grupos sociales en una posición de

[32] En *Temas*, nro. 27, oct.-dic., 2001, pp. 69-95.

[33] Estas ideas resumen el debate "¿Entendemos la marginalidad?", en *Temas*, nro. 27, oct.-dic., 2001, pp. 69-83.

desventaja y reclama acciones marginales de sobrevivencia; la subjetividad que "demoniza a algunos grupos sociales y los culpa de todos los problemas de la sociedad (*e. g.*, los "palestinos", los "negros"), y la automarginación, como una especie de práctica consciente o inconsciente de resistencia, aunque no significa solamente autoaislamiento, ya que todos los grupos sociales en Cuba participan constantemente y de alguna manera, voluntaria o involuntariamente, en los procesos a los que están integrados.

- Está vinculada a la pobreza, los prejuicios raciales y la discriminación (por color de la piel y género principalmente) por lo que sus orígenes están históricamente determinados por esos rezagos del *status* colonial y neocolonial.
- Entraña una relación de poder, en relación con lo dominante, que culturalmente excluye a otro y que define (a veces arbitrariamente) lo que es legítimo, normal o correcto (para sí mismo y según sus intereses).

Por compartir los criterios de este debate, podemos entender *grosso modo* la marginalidad en Cuba como el resultado de un proceso que reduce a grupos sociales a una posición periférica con respecto a la sociedad en general y a su cultura dominante, y que se reproduce en determinados espacios, pero sin llegar a excluirlos ni total ni definitivamente de su inserción social. Además, este proceso es dinámico ya que dados sus nexos con lo económico, lo social y lo cultural, lo que se considera marginal hoy, no lo será necesariamente siempre.

A pesar de que el proceso de cambio y adaptación por el que ha transitado Rastafari en Cuba no puede explorarse históricamente ya que es reciente, puede decirse que esta cultura ya ha recorrido dos etapas esenciales: una antes del Período Especial, y otra después del inicio de éste. En ambas fases se aprecian diferentes grados de marginalización y exclusión. Por ejemplo, en la primera etapa, luego de su surgimiento en Cuba a fines de la década de los setenta, la inserción del Rasta en la sociedad era poco menos que inimaginable dado un conjunto de características que lo tipificaban como una cultura ajena, transgresora e, incluso, divergente. Era realmente difícil que la sociedad en general y las autoridades institucionales aceptaran de la noche a la mañana una cultura de base religiosa; ligada a la persona del entonces viviente y polémico "Dios negro" Haile Selassie I; que idealizaba al continente africano; que había brotado en áreas de la Habana Vieja, la Habana del Este, el Vedado y en zonas de Santiago de Cuba, articulada al uso de la marihuana; acogida mayoritariamente por negros jóvenes, con una apariencia física que paulatinamente definiría la concepción de la nueva identidad, muy distante de las consideraciones formales del aspecto personal y del buen vestir, con un estilo de vida muy inusual, y que escuchaban música en inglés.

Consecuentemente, la imagen Rastafari no fue bienvenida por la sociedad en general en esos primeros años y, casi automáticamente, se le relacionó con la desviación, la criminalidad, el sector informal, o sea, con la marginalidad. Aun más, algunos se sintieron excluidos y acosados por la Policía por ser "sujetos con características" ; muchos de los que aún hoy son Rastas han tenido que cortarse sus trenzas (*dreadlocks*) dos, tres o más veces por estas razones. Uno de los entrevistados, quien se refirió a esos primeros años (fines de los setenta y década de los ochenta), cuando la palabra "Rastafari" no era de conocimiento general, lo describe así:

> [...] ya en los años 84-85 cuando empezaron a verse las primeras manifestaciones (hay una persona que no se encuentra aquí con nosotros, Julio) en G y 23, allí escuchábamos música muchos de los que ya nos estábamos identificando con esta cuestión Rastafari. Teníamos a Felipe, que estudiaba en la Universidad, y tenía muchos problemas con su pelo por su prueba estatal. Nos reuníamos en ese lugar, muy cálido para nosotros, era así como nuestra cueva. En esa azotea desarrollamos nuestra primera casa cultural de reggae y de Rasta también. Julio luchó mucho, como decimos nosotros, contra bábilon porque tuvo muchos problemas con la justicia por esas mismas manifestaciones, aunque no se identificaba como Rasta por su filosofía,

sino solamente por un estereotipo. Una apariencia era demasiado para la gente, es decir, todavía no estaban preparados para entenderlo, porque todo el mundo sabe como cubanos que nosotros tenemos una mente muy poco caribeña [sic] y más occidental. Entonces, esta forma de llevar el cabello, de vestirse, estos colores eran demasiado estridentes, demasiado agresivos para la gente, no podían tener una lectura sentimental. Entonces la gente se portaba muy hostil [...][34]

El Rasta entonces no iba mucho más allá de los pantalones campana, o los *jeans* Lee ajustados a los muslos, la camisa de mangas largas Manhattan, y otras corrientes de la moda de la época (de hecho, Bob Marley vestía también más o menos así en los setenta). Después de la muerte de Marley, vendría la comercialización desmedida a nivel mundial de la imagen del Rey del Reggae en forma de videos, discos, *pullovers*, banderas, bufandas, collares y muchos otros artículos tricolores ("regolangrines", *i. e.*, rojos, amarillos y verdes), que se convirtieron en atributos de los seguidores del reggae y la ideología Rastafari. Sin embargo, poco a poco, a medida que el Rasta en Cuba ganaba acceso a la música reggae, a la parafernalia en general que lo identifica, la imagen se perfilaba con mucha más fuerza alrededor de aspectos ideológicos hacia lo que es hoy, o sea, ya no era sólo una cuestión de snob, sino una identidad conscientemente asumida. Se mantienen los inseparables *dreadlocks*, el vestuario fundamentalmente tricolor y sencillo, los símbolos accesorios, y además impera comúnmente el uso de prendas de vestir de estilo o diseño africano, tanto en hombres como en mujeres, entre los seguidores más fieles, y un estilo ecléctico y a la vez americanizado o consumista entre los llamados "drelas".

Sin embargo, en la segunda etapa, los síntomas de exclusión y hostilidad no eran tan fuertes, sobre todo en La Habana, donde el número de Rastas crecía incesantemente debido al proselitismo y la migración de Rastas de otros sitios del país hacia la capital. En

[34] Ariel Díaz García (*Ras Iriel*) en un conversatorio el 6 de febrero de 1999.

Ariston Lyte, estudiante guyanés residente en Cuba, muestra su vestuario en la celebración en homenaje a Bob Marley en febrero de 1999. Al fondo se puede apreciar la pintura mural, de Ariel Díaz (*Ras Iriel*), que decora la tarima.

La Habana se obtenían con más facilidad casetes, discos, libros y otros artículos que difundían cada vez más las ideas afines. Por otra parte, en este segundo período, una nueva etapa de intercambio con estudiantes anglocaribeños se convertía también en fuente de conocimiento:

> [...] ya en el 90, estaban muy muy establecidos mucha gente Rastafari, creando el mecanismo para *lograr encontrar* la música, la ideología, la Biblia. Empezaron a venir gente de otras islas caribeñas, estudiantes que empezaron a ir principalmente al lugar donde se hacen ciertas congregaciones (en San Miguel del Padrón [...]) Esta situación ha creado una imagen mucho más fuerte y mucho más interesante [...] La gente ha comenzado a aceptar de una forma u otra. No en sentido general, pero sí algunos ya te paran y te preguntan, quieren conocer, están sedientos de saber qué cosa es Rastafari, de dónde viene, a qué nos dedicamos.[35]

Este proceso desencadena reacciones diversas tanto en el sujeto Rasta como en la sociedad; algunas pueden tener consecuencias decisivas: llegan a reforzar la condición del marginado y a afianzar los procesos identitarios alrededor del conjunto de aquellos símbolos, ideas e imágenes considerados marginales. Algunas reacciones, a mi entender, son:

Reacciones en el sujeto	Reacciones sociales o institucionales
Autoaislamiento	Rechazo
Resistencia cultural	Prejuicios negativos, a veces determinados por el color de la piel y la apariencia física
Surgimiento de una identidad de grupo o individual	En ocasiones, represión institucional o incluso exclusión parcial, temporal o definitiva del centro de trabajo o estudio
Actividades culturales comunitarias	—

[35] Ídem.

El calificativo de marginal en el Rasta cubano tiene múltiples facetas. Se hace patente en las limitadas posibilidades de acceso a muchos empleos como forma fundamental de integración social, en el "jineterismo" como actividad marginal de supervivencia, en la represión (muro de contención) social e incluso institucional fundada en un estereotipo negativo, en la condición social del ser negro dada por la importancia de la noción de raza en la ideología Rasta, por sólo mencionar algunos factores. El Rasta cubano es el resultado de la combinación de muchos de estos factores, como lo demuestran algunas de las opiniones vertidas en las conversaciones con varios de ellos durante el trabajo de campo que sustenta esta parte de la investigación. Éste se hizo de manera coyuntural y sin criterio selectivo.[36]

El Callejón de los Perros, en la ciudad de Santiago de Cuba, es una calle de ambiente marginal, habitada casi en su totalidad por negros y mestizos. Este sitio se ha convertido en un lugar de confrontación del Rasta con el resto de la comunidad; es un ejemplo de cómo el Rasta y la cultura que defiende y lo rodea se transforman a veces en centro de un trabajo comunitario de tipo *endógeno*,[37] o sea, no es sólo un trabajo que se realiza *en* la comunidad, sino que la propia comunidad se erige en protagonista de ese trabajo, que genera un beneficio cultural para sí misma. Es, en resumen, una actividad comunitaria en la que interactúa el Rasta con el resto del vecindario y desde donde comienza su proyección hacia el resto de la sociedad. Aunque es un espacio creado esporádicamente, pues, como me lo expresó un contribuyente, "[este trabajo] sólo se hace cuando llega Mustelier",[38] se mantiene vivo ese gusto por los "llamas" (deformación fónica de *Jah man*) y el reggae. Esto se hace posible, en gran parte, por los recursos de los propios Rastas y residentes del barrio. Ello, a su

[36] A veces trataba el tema de la marginalidad con el Rasta u otras personas no en el barrio, sino en conversaciones en diversos lugares aparentemente fuera de contexto, por ejemplo, en una galería de arte.

[37] Pedro Sotolongo en el citado debate de *Temas*, nro. 27, oct.-dic., 2001, p. 90. El énfasis es mío.

[38] Se refiere al más pequeño de dos hermanos Rastas con el mismo apellido, quien reside en el extranjero.

vez, alienta la diversidad cultural en el seno de la comunidad por el espacio creado para otras manifestaciones de la cultura popular cubana (sobre todo las de raíz africana dadas las características del sector poblacional que la habita) con la presencia del guaguancó, la rumba y la columbia, junto al reggae en las actividades culturales del mismo barrio.

Durante la investigación, tuve la oportunidad de visitar este barrio una extensa tarde que no terminó hasta la madrugada del siguiente día, mientras se preparaba y realizaba una de estas actividades comunitarias para celebrar el 54 aniversario de Marley, en el año 2000. Uno de los Rastas en el Callejón de los Perros me explicó cómo a veces es marginado y otras se siente parte de la sociedad:

> Había estudiado mucho la *Biblia*; es lo fundamental, a mí me gusta mucho, me da conocimiento, pero por problemas de trabajo y eso no me había echado la drela; pero, bueno, ya dejé de trabajar en gastronomía y tuve la oportunidad de tirarme la drela. El Jah me dijo que tenía que ponerme la drela ya, me dijo que tenía que ponerme la corona... y me la puse. Yo soy una persona que me siento muy orgulloso de mi drela. Ahora estoy trabajando en monumentos, soy restaurador de la ciudad; trabajo en el casco histórico.
>
> *Y allí la gente, en el trabajo, ¿cómo te lleva...?*
>
> Muy bien, muy bien, porque, bueno, o por lo menos yo le he inculcado allí a la gente que nosotros los Rastas no somos unos delincuentes como piensan muchos. Hay muchos que piensan que los Rastas son delincuentes, que son esto, que son lo otro. No, ¡mentira! Nosotros los Rastas somos espontáneos, con amor.[39]

Este y otros ambientes similares, como el barrio de La Corea, en San Miguel del Padrón, han servido de asentamiento a esta cultura popular que, al igual que en Jamaica, se desarrolla en un contexto urbano marginal desde posiciones de resistencia.

[39] De la conversación con un joven que prefirió el anonimato en el Callejón de los Perros, Santiago de Cuba, el 6 de febrero de 2000.

En La Corea, Rastafari a veces actúa como protagonista de un trabajo comunitario similar de gestión autotransformadora, que rompe el círculo vicioso de la automarginalidad. Un ejemplo es la rehabilitación que los propios Rastas y otros integrantes de la comunidad hicieron a fines del año 1997 del anfiteatro de La Corea —un pequeño escenario al aire libre muy propicio para actividades culturales—. A pesar de que el renacer de este escenario no fue más allá de una limpieza general del área para un pequeño concierto, era la primera vez que los Rastas se unían a otros sectores de esta comunidad (algunos niños y mujeres) en una acción beneficiosa para todos, con autorización institucional y de las autoridades para la realización de una actividad recreativa comunitaria. El hecho que vale la pena mencionar aquí es que el concierto se hizo coincidir con el aniversario 63 de la coronación de Haile Selassie I. Si las autoridades estaban conscientes o no de esta coincidencia, no es seguro; lo cierto es que en los cuatro años siguientes, con la excepción del 99 cuando, después de haber preparado todas las condiciones, hubo que mover repentinamente la sede por falta de coordinación con las autoridades locales y la Policía, el propio escenario fue consecutivamente utilizado para actividades similares organizadas por los Rastas y otros factores comunitarios, con recursos propios, así este anfiteatro lograba escapar de un prolongado letargo que lo destruía poco a poco.

En otra parte de La Corea, surgió la Calle de los Sueños. Tras la reparación de la escuela primaria Solidaridad con los Pueblos, concluida a principios del año 2000, se improvisó un pequeño escenario o tribuna junto a uno de los muros de la escuela. En la recién creada decoración escenográfica se leían varias inscripciones que evidencian la diversa participación social, entre ellas las frases "Callejón de los Sueños", "Peñas", "Música", "Raperos" y "Rastas", que ya han sido borradas por los efectos del tiempo en un colorante sobre lechada y por la repintura posterior del muro. No obstante, la sola mención de los Rastas en ese callejón ilustra la amplia influencia que tiene esta cultura marginal, junto a la de los raperos —el hip-hop—, en ese barrio; así como los resultados de esta participación activa, voluntaria o involuntaria, de los Rastas en la vida cultural de la comunidad.

Vista y detalle de la Calle de los Sueños a un costado de la escuela primaria Solidaridad con los Pueblos, en San Miguel del Padrón. El cuadro negro en la vista general ubica el detalle de la vista parcial.

En la actualidad, el mencionado anfiteatro dejó de existir como tal; de él sólo queda el espacio, parte del cual está cubierto por ampliaciones de las viviendas aledañas, por la hierba, escombros y desechos.

El proceso dinámico de la marginalidad y sus reacciones en el Rasta cubano se presentan del mismo modo a nivel grupal e individual. Varios de los Rastas así lo atestiguan con sus historias. Como decía antes, una de las reacciones del marginado es asumir una identidad individual y de grupo, fácilmente identificable por los rasgos característicos de la cultura Rastafari: los *dreadlocks*, el lenguaje, el reggae, etcétera. Uno de los entrevistados se refería a la relación entre su grupo y la sociedad en general y la retroalimentación que recibía de ésta:

> Conozco a otros africanos que me prestaban música. A partir de ahí empecé a interesarme por el reggae. Conozco a jamaicanos en la CUJAE, también a etiopes y otros, y la historia siguió. Ellos me preguntaban cómo yo sabía de reggae si Marley nunca había venido a Cuba. Conozco a Ariel, Julito, luego Felipe, etcétera, y empezamos a andar, a nutrirnos de por qué esta música, queríamos incluso hacer un grupo pero no teníamos los recursos, ni los medios, ni el conocimiento ni el poder para hacer las cosas. Nos veíamos en el Coppelia y nos decían "los de la lata y el palo" porque nadie escuchaba reggae a excepción de alguna fiesta... Andábamos con casetes en el bolsillo como carné de identidad. Por la playa íbamos caminando desde el Mégano hasta el Marazul escuchando reggae... la gente se nos acercaba a ver a "los de la lata y el palo".[40]

Este comentario nos remite a la génesis de Rastafari en La Habana y Santiago, donde con mayor intensidad se produjo la relación entre los jóvenes cubanos y anglocaribeños, fundamentalmente estudiantes.

[40] De la conversación con Félix Pablo, actualmente director del grupo de reggae Remanente, en mayo de 2002.

Otro caso de ruptura con los criterios marginalizadores y de intento de inserción social a través de la cultura, se observaba en Cienfuegos. Dos representantes de la Asociación Hermanos Saíz en la provincia, interesados en un proyecto de conocimiento y estudio de la proyección cultural de algunos Rastas en la provincia, a través de sus obras plásticas, abren "[un] espacio... Las actividades no tuvieron el calor esperado, pero se hizo algo". Una de esas acciones fue la invitación al grupo de reggae de La Habana Remanente. La visita estuvo poco organizada, hubo falta de coordinación por parte de las instituciones locales, por lo que el proyecto quedó inconcluso.[41]

Las opiniones recogidas durante el trabajo de campo, así como la observación y la participación como métodos auxiliares, confirman que Rastafari es aún una cultura marginal de un sector mayoritariamente joven y negro, condición reforzada por los prejuicios raciales latentes en la sociedad y por las condiciones de vida de los barrios suburbanos y otras áreas superpobladas de las principales ciudades. No obstante, si bien en los primeros años fue rechazada por divergente y trasgresora, en la actualidad la marginalización no se manifiesta en forma de exclusión total; algunos Rastas, desafortunadamente una minoría, logra abrirse pequeños espacios por su propio esfuerzo en el quehacer sociocultural de su entorno. En número y presencia crecientes, muchos de ellos realizan trabajos socialmente útiles, casi siempre en el autoempleo o en el sector informal, lo que demuestra que la inserción social marcha por caminos independientes, de autogestión.

Es un hecho que durante el Período Especial se han multiplicado y acrecentado los estudios culturales sobre religiosidad y música populares, relaciones raciales, género, entre otras ramas de interés. No obstante, Rastafari en Cuba es una de estas cuestiones latentes que antes y durante el inicio de ese período se

[41] En Cienfuegos me entrevisté con algunas personas vinculadas a la Asociación Hermanos Saíz y a la radio provincial. El fragmento citado aquí corresponde a la conversación con Ian, entonces presidente de la AHS, en diciembre de 1998. Uno de los más destacados en la plástica era Ras Tamayo, quien había recién inaugurado una exposición en la provincia.

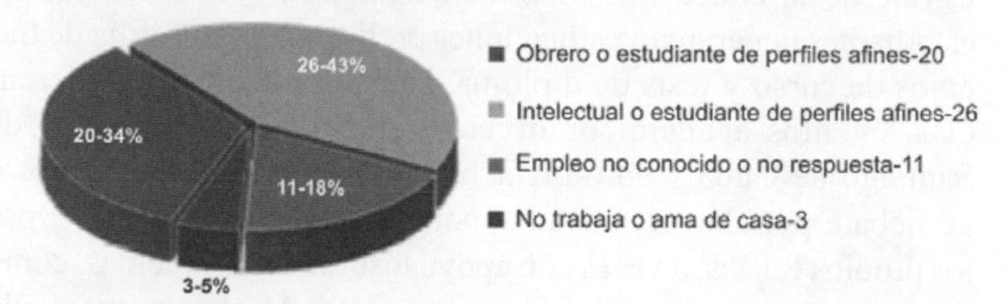

mantuvo prácticamente fuera de los debates y preocupaciones académicas, a pesar de ser precisamente la época en que se registra un incremento de su presencia en el país. Aún hoy las ciencias sociales en Cuba no han explorado suficientemente sus aspectos "oscuros" y preguntas sin respuesta.

Numerosas razones explican esta relativa falta de interés científico en el tema. Entre otras cosas, Rastafari es una tendencia de reciente "importación" en la corriente cultural principal (*cultural mainstrean*). Es también una cultura de una pequeña minoría, aunque en ocasiones sus formas de expresión cultural se hacen sentir en la sociedad en general.[42] Igualmente está relacionada al consumo de *Cannabis sativa*, una actividad ilegal, muy censurada y severamente punible y, por lo tanto, tiene ciertamente un estatus deshonroso y se encuentra muy negativamente prejuzgada ante la sociedad. Es también suburbana y, consecuentemente, marginal con respecto a la corriente cultural principal en las áreas urbanas.

No obstante, la marginalidad no es absoluta. La falta de interés científico es relativa por cuanto es inapropiado afirmar que no existe entre las ciencias sociales y los medios un interés en la cultura Rastafari, el reggae y los estilos de vida asociados. En los últimos tiempos, el tema está presente y el interés crece en cursos

[42] Las obras de artes visuales (artesanía, pintura, grabado y escultura como las más representativas) producidas por Rastas han figurado en diversas exposiciones individuales y colectivas, y otros espacios de creación e interacción. En el capítulo "Entre lo trasgresor y lo popular" se expone cómo el reggae, a través del mensaje de sus textos, es una de las expresiones culturales más eficaces para dar legitimidad o visibilidad a la cultura Rastafari.

de pregrado y posgrado sobre historia, literatura y religiones del Caribe de la educación superior cubana; en consecuencia, los estudiantes generan investigaciones preliminares en forma de trabajos de curso y tesis de diploma. Ha sido tratado en conferencias, eventos académicos diversos, Festivales del Caribe de Santiago de Cuba y en otras actividades científico-culturales o de debate popular organizadas por instituciones cubanas o por los propios Rastas, a veces con apoyo institucional. Además, como Rastafari tomó cuerpo en la vida y obra de Bob Marley, ha aparecido de esta manera (en forma de reggae) en algunos programas de radio y televisión. Las Claves del Enigma, por ejemplo, un programa escrito y conducido por el músico Alberto Faya, fue uno de los primeros en hacerse eco de este interés por presentar, seriamente, en Cuba al auténtico reggae jamaicano y su mensaje rastafariano como parte de la diversidad cultural del Caribe. Este nivel de confrontación con la cultura Rastafari genera más interés y contribuye a la visibilidad crítica y desprejuiciada de este fenómeno marginal.

Hacia una definición de Rastafari en el contexto cubano

Rasta es una actitud, no para ser esclavo,
sino para ser más libre.

Manolo, artista de la plástica.

Conceptos necesarios

Veamos ahora los aspectos más relevantes de la polémica conceptual alrededor de este tema en el ámbito cubano. Para definir Rastafari en el contexto cubano, deben identificarse y caracterizarse al menos tres de estas variables conceptuales fundamentales, a saber el prefijo "afro", el concepto de *religión* y el término "movimiento" con sus implicaciones políticas.

Afro en Cuba. ¿De qué estamos hablando?[43]

Un sociólogo, colega y gran amigo, me comentó en una ocasión que al inicio de sus cursos suele debatir con los estudiantes sobre el concepto de raza. Él, en una sociedad multiétnica, multirracial y multicultural, se enfrenta a disímiles respuestas y comentarios más o menos así cuando pregunta: "¿Cuál es su raza?"

—¡Soy negro!

—Perdón. Yo no le pregunté por su color, sino por su raza.

Otros estudiantes responden enfáticamente:

—Yo soy hindú.

—Soy musulmán.

—¡Ah! Esa es su nacionalidad, o su religión, o su credo, ¿cierto? No su raza.

[43] Las ideas esenciales de este epígrafe aparecen publicadas en el artículo "Repensando conexiones interculturales: Lo 'afro' en la cultura Rastafari en Cuba" en *Revolución y Cultura*, nro. 3, julio-septiembre de 2006, pp. 44-49.

El profesor le solicita a otro una respuesta.

—Soy afroantillano.

—¿Y eso qué cosa es?

En fin, una serie de respuestas y comentarios como éstos demuestran las complejidades de las consideraciones teóricas y conceptuales. Cuba es también una sociedad diversa, aunque no multicultural. Sin embargo, aunque definir académicamente *qué* es la "raza" sería complicado y estaría ciertamente plagado de subjetividades, los Rastas en esta isla generalmente no vacilan en asociarlo al color de la piel y a la descendencia para autoidentificarse como "negros". En lugar de "razas", existe en Cuba una "racialidad" en medio de diversas corrientes de pensamiento.

En un extremo, desde el determinismo biológico, la idea de la "raza" es obsoleta, pero esencial resulta tenerla en cuenta al menos como la falacia que sustentó la esclavitud y que tiene consecuencias psicológicamente enajenantes donde quiera que existe una diáspora africana cuyas culturas entraron en conflicto con las culturas dominantes europeas. Sin embargo, entre cultura y raza no hay total correspondencia; Claude Levi-Strauss (1996), por ejemplo, discute que, tanto la desigualdad de culturas, como la desigualdad de razas, están históricamente determinadas pero, en términos de diversidad, hay mucha mayor diversidad de culturas que diversidad de razas. En este extremo de la cuerda, el color de la piel es significativo, tanto que, por ejemplo, siempre que se menciona la "raza" o nos rozamos ligeramente el antebrazo izquierdo con el dedo índice derecho es porque se está hablando del negro y de sus relaciones y conflictos sociales históricamente determinados, como si el blanco, *e. g.*, no fuera también otra "raza".

En el otro extremo, nos encontramos con teorías más osadas que ni siquiera aceptan la noción de raza. Tal es el argumento de Paul Gilroy (2000), profesor de sociología y estudios afroamericanos en Estados Unidos, quien entre muchas ideas sustenta la tesis de que el pensamiento racial distorsiona los principios de acción política crítica, innovadora y socialmente integradora. Para Gilroy, el accionar político y social del negro, por ejemplo, ha ido en decadencia; por tanto la "raza" es una noción que ha sucumbido ante la globalización cultural y la comercialización de símbolos culturales entre muchas otras causas después de los años sesenta del siglo pasado. El hip-hop, otrora orgullo con una función ideológica e integradora bien definida en la comunidad negra de barrios estadounidenses, con frecuencia aparece ahora desvirtuado por la apropiación excesiva en su discurso cultural de la violencia y el sexo.

En el centro de las dos posiciones presentadas, existe una serie de nociones, discursos e ideologías que conservan y continúan reescribiendo las historias nacionales y sociales, a partir de la raza –díganse ambas cosas: el color de la piel y un conjunto de principios o ideologías que condicionan respuestas de identidad y prejuicios. En este sentido, el mestizaje de nuestro país (culturalmente sintetizado en la palabra "cubanidad" y racialmente llamado "color cubano") es un espacio diverso en que convergen de manera integradora las relaciones interraciales, o sea, es una *racialidad* propia que integra el concepto de nación y que a su vez nos diferencia del Caribe inglés o francés, de Jamaica o del sur norteamericano, nuestros referentes más cercanos. Sin embargo, esa racialidad emerge también como esencial pues es la causa de nuestros contrastes e identidades internas, es la causa de lo diverso dentro de la nación.

En el proceso de conformación de nuestra nación, y sobre todo durante la consolidación de la Revolución, las consideraciones raciales no perecieron, involuntariamente, sino que fueron estratégicamente sacrificadas ante la preservación de la nacionalidad y la unidad. Sin embargo, la dinámica cultural de las dos últimas décadas no muestra en Cuba muchos síntomas similares a la mencionada evolución del hip-hop del norte; el surgimiento y auge de la cultura del hip-hop en nuestro país se debe precisamente a que grupos de jóvenes *mayoritariamente* autodenominados negros y negras se "adueñaron" del hip-hop como herramienta de expresión precisamente de esos sentimientos y cuestionamientos raciales que antes habían sido sacrificados en aras de la nación. Asimismo, muchos mestizos de piel clara —y como ven, caemos nuevamente en el elemento puramente biológico del color de la piel— pudieran identificarse como negros y compartir, por lo tanto, las mismas identidades y las mismas respuestas a los prejuicios que la población visiblemente negra comparte.

El investigador Esteban Morales establece tres períodos en su investigación sobre la problemática racial en Cuba a través de nuestra historia: a saber, la Colonia, la frustración republicana y la Revolución (2007:29-40). Sirva esto de base para esclarecer la relación entre lo *étnico* y lo *racial*. En esas tres etapas de nuestra historia, nuestra diversidad étnica y cultural, o sea, las relaciones *interétnicas*, mezclaron inevitablemente las culturas y produjeron nuestra cultura nacional; pero las relaciones *interraciales* generaron otro producto: produjeron los prejuicios enajenantes durante la Colonia y la seudo-República, y que aún perduran. No se puede olvidar que en ambos niveles de relación existían fronteras y también prejuicios marcados por la "clase social". En nuestro Caribe, "clase" y "raza" han sido conceptos vinculados, y uno de nuestros retos como nación en Revolución ha sido el de intentar revertir esa relación históricamente determinada; o sea, que "negro no signifique malo y blanco no signifique bueno" (Del texto de la canción "Excepción de raza" por Militar Dread). Por lo tanto, en *nuestra* concepción de "lo racial", no se pueden separar el color de la piel, la ideología y la cultura. Las relaciones entre estas formas de pensar, y las complejidades y polémicas que de ellas se derivan, constituyen nuestra racialidad y se resumen en el prefijo "afro".

"Afro", como comúnmente se utiliza en el vocablo "Afrocuba", por ejemplo, es controversial por su generalidad, en tanto pretende comprender la unidad y diversidad, tanto en nuestro patrimonio cultural, como en la pluralidad existente en el continente africano. No obstante, es una realidad que lo afro en Cuba es lo afro negro, no lo del norte, ni del noreste de África, ni mucho menos lo afro del colonizador, capitalista o residente blanco naturalizado africano. La cultura Rasta es fundamentalmente negra; identificar sus vínculos con África por sus raíces e ideología constituye un elemento clave para su estudio.

En aquellos jóvenes inspirados por el sentimiento de frustración debido a los prejuicios raciales existentes, esta forma de expresión ha contribuido a modificar algunos valores por ser portadora de diversos conceptos, símbolos e imágenes no del todo ajenos a la historia y la cultura nacional ya que Cuba y el resto del Caribe comparten procesos histórico-culturales similares. Por lo tanto, esa referencialidad común les permite asimilar los significados de esta tendencia cultural extranjera con más facilidad que a otros que se encuentren más allá de las fronteras de la región cultural del Caribe. En esas conexiones interculturales intrarregionales, hay que tener en cuenta las diferencias históricamente determinadas y puntos de contacto entre el colonialismo inglés en Jamaica y la colonización hispana en Cuba: dos espacios que sufrieron las mismas consecuencias psicosociales de la colonización y la esclavitud.[44] Por lo anterior, puede deducirse que Rastafari en Cuba involucra a jóvenes *afrocubanos*.

Sin embargo, ¿de qué hablamos cuando decimos "afro" en Cuba? Mucho han escrito y dicho sobre esto especialistas extranjeros y cubanos, por lo que mi intención no es definirlo, sino señalar por qué es de especial conveniencia en este tema. Para muchos cubanos, el concepto es problemático en tanto contradice la idea de la integración racial y clasista al segmentar la noción de Cuba como un todo, la nacionalidad, el etnos cubano. Según este punto de vista, el prefijo "afro" en "Afrocuba" parece superfluo y redundante ya que la cultura cubana se entiende por sí sola como inclusiva de los elementos africanos, europeos y otros. No obstante, ha sido usado ampliamente siguiendo la tradición de Ortiz. El gran etnógrafo cubano afirmó una vez que la expresión fue inaugurada por Antonio de Veitía en 1847, pero se generalizó ampliamente sólo después de que Ortiz publicara su primera obra, en 1906, donde introdujo el término (Ortiz, 1943:72).

Parto del hecho de considerar a la Cuba actual como un país uniétnico y multirracial, o sea, el proceso de identificación actual

[44] Al leer *Desafíos de la problemática racial en Cuba*, de Esteban Morales Domínguez. (Fundación Fernando Ortiz, Ciudad de la Habana, 2007) nos percatamos de la importancia que le otorga el autor a la historia de la colonización y la práctica esclavista para abordar el tema de la racialidad en la actualidad. Al comparar estos criterios con los que nos brindan, por ejemplo, Rex Nettleford en *Mirror Mirror. Identity, Race and Protest in Jamaica* (Collins, Londres, 1974) o los capítulos editados por Gert Oostindie en *Ethnicity in the Caribbean* (Macmillan Caribbean, Warwick, 1996) es evidente que el sustrato de la diversidad social y étnica en el Caribe es el mismo; las diferencias están en las proporciones en que se mezclaron sus ingredientes.

del cubano con su país es el mismo a través de la cultura[45] como rasgo unificador durante varias generaciones, a pesar de que coexisten en el mismo espacio diferentes grupos raciales con relaciones sociales históricamente determinadas desde la formación de la nacionalidad a partir de diferentes grupos étnicos. Sin embargo, en la gestación de la nacionalidad, las primeras corrientes político-ideológicas del siglo XIX —el reformismo y el anexionismo— excluían al negro y al mestizo en aras de que el criollo —blanco— tomara el poder político de una Cuba blanca.

El término "afrocubano" es utilizado como categoría operacional por algunos investigadores cubanos y extranjeros (De la Fuente, 1998; McGarrity, 1992; Pérez y Stubbs, 2000; entre otros). Durante nuestra historia, el discurso en torno a la problemática racial ha variado. Al iniciar las luchas por nuestra independencia, blancos y negros (y asiáticos) se unieron en pro de la nación, y las distinciones raciales cayeron a un segundo plano.[46] Casi un siglo después, nuestro socialismo promovió la eliminación de distinciones de raciales y clasistas; sin embargo, éstas reemergen durante el Período Especial. De esta manera, no se desconocen, pero tampoco se enfatizan siempre las condiciones y causas histórico-sociales de la realidad actual del color de la piel, o sea, la estrecha relación con las prácticas esclavistas, segregacionistas y excluyentes de la Colonia y la República neocolonial que perduraron como prejuicios raciales para agudizarse con los cambios económicos del Período Especial. De hecho, las relaciones raciales han sido siempre un aspecto clave e históricamente determinado en la nacionalidad, especialmente desde el siglo XIX, cuando la

[45] El papel de la cultura en el etnos cubano abarca los tres niveles en diacronía: lo folklórico-tradicional, la cultura de masas y lo elitista. En cualquiera de éstos hay rasgos de lo cubano. Lo popular se identifica no sólo en lo tradicional, sino en las masas en general, que absorben cada vez más elementos de sus extremos.

[46] Estas ideas (*racelessness,* Ferrer, 1999) provienen de la lucha por los derechos iguales que el Ejército Libertador mambí había enfatizado, de la necesidad de unidad e integración de blancos y negros en una nación de cubanos. Esta idea, también de Martí, fue muy asimilada por generaciones de cubanos de origen africano que batallaron en las filas de los ejércitos de liberación nacional.

historia comienza a registrar sucesos, procesos y nombres como Aponte (1812) y La Escalera (1844). Por otra parte, la ideología de la Revolución cubana, desde 1868, ha hecho énfasis siempre en la integración y la unidad nacional frente a la discordia y la desunión. Por consiguiente, ser cubano se ha definido como más que ser "afro" o "hispano".

Con todo, el término no es superfluo si se utiliza como una respuesta a quienes tienden a homogenizar la cultura cubana, e ignorar la pluralidad de su composición étnica. Según Martínez Furé,

> lo cubano viene en la fusión de lo africano y lo español, más otros elementos. Pero hay quienes evidentemente prefieren olvidar esto. Dicen "cubano" y "afrocubano" como si lo afrocubano fuera otra cosa y lo cubano fuera químicamente puro, hispano o blanco. Y allí está el mayor de los errores, hablar de música cubana y de música afrocubana cuando la mayoría de los géneros que se conocen en todo el mundo como música cubana han sido creados por descendientes de africanos. En todo caso sería música afrocubana.[47]

Por lo tanto, el prefijo "afro" vale para explicar estas distinciones. Evidentemente, la cubanía es un espacio imaginario, integrado, sin fronteras marcadas por el color de la piel o por ascendencia étnica. Pero este proceso de integración no puede reducir la "afrocubanía" únicamente al folklore religioso o musical de la cubanía, o peor aún, a una expresión extraña, exótica que no tenga en cuenta las implicaciones sociales de lo negro.

Fernández Robaina defiende el término "afrocubano" como categoría operacional desde el punto de vista metodológico. En la historia de Cuba el negro ha luchado por un espacio como

[47] Citado en inglés por Pérez y Stubbs, trad. del autor. El original dice: "[…] *the Cuban came in the fusion of African and Spanish, plus other elements. But there are some who evidently choose to forget this. They say "Cuban" and "Afro-Cuban", as if Afro-Cuban is something else and Cuban is chemically pure, Hispanic, or white.*" (2000:156)

cubano, pero ese espacio le había sido negado porque si no, no hubiera existido un movimiento social y político del negro como el Partido Independiente de Color.[48] También se utiliza el prefijo como "mecanismo lógico de defensa y resistencia" (Guanche, 1996:54) ante la cultura dominante. Este uso tiene su origen en la realidad del negro en otras latitudes, *e. g.* en los Estados Unidos, donde el prefijo escuda la raíz cultural africana ante lo dominante anglosajón cuando se dice "afroamericano". En el caso cubano, los ejemplos que más adelante cito pueden ser una reminiscencia de este uso.

En la defensa por el uso del término, es importante también no pasar por alto el sentido de participación social de los sectores autoafiliados como "afro" o negro. Stuart Hall advertía que la clave para entender lo negro dentro del contexto de lo diverso está en "reconocer la extraordinaria diversidad de posiciones subjetivas, experiencias sociales e identidades culturales que componen la categoría 'negro'; *i. e.*, reconocer que lo 'negro' es una categoría *construida* política y culturalmente que no puede descansar en un conjunto invariable de categorías raciales transculturales" (1995:225). La verdadera dimensión de lo afro varía de un país a otro, pero dondequiera que exista diversidad y mestizaje cultural, obviar la amplia subjetividad y las filiaciones raciales puede acarrear consecuencias políticas en las relaciones sociales.

Por lo tanto, asumo como una realidad axiomática la existencia de una "Afro-Cuba" como una categoría cultural no solamente presente en el folklore, la tradición oral, la religión, la música, la lengua o la literatura sino también en la interacción social entre los diversos ingredientes étnicos de nuestra nacionalidad. Ha estado además estrechamente relacionada a través de la historia a la noción de clase, como en otras partes del Caribe o de "Afro-América". Por todo lo anteriormente dicho sobre este tema, puede afirmarse que el concepto fue acuñado por su uso en las ciencias

[48] Tomado de su intervención en el II Taller de Unidad y Multirracialidad en la Ideología de la Revolución Cubana, organizado por el Centro de Antropología, CITMA, el 22 de septiembre de 2000. Grabación y transcripción del autor.

sociales, no por un grupo o movimiento social que así se autocalifique, puesto que no todos los negros en Cuba se autodenominan abierta y orgullosamente como tal. Por las investigaciones realizadas, puedo generalizar que los Rastas, en cambio, sí aceptan su condición de negros —aun cuando no lo sean o no lo parezcan— y exaltan, además, las virtudes de la cultura africana que van conociendo poco a poco y casi de manera autodidacta, motivados por el interés personal. Ser un Rasta, incluso para un joven visiblemente blanco o mestizo, implica también dejar a un lado los criterios que definen lo blanco como bueno o superior y lo negro como malo o inferior.

Los propios Rastas confiesan la importancia de esta filiación racial. Algunos llegan a ella por cuenta propia a través de "ese entendimiento de algo de la historia de algunos aspectos relativos a la raza negra como la marginalidad y la discriminación".[49] Uno de ellos me cuenta parte del proceso que lo llevó a ese entendimiento:

> Tuve noción después de Marcus Garvey [mal pronunciado] que hablaba sobre el movimiento ese y la gente, más o menos como que la gente interpretaba que Marcus Garvey era Rastafari. Al pasar del tiempo se demostró que no era así, sino que lo que quería era una unión entre la gente de la raza negra, por no decir de color, porque la gente que dice de color son la gente racista, porque de color hay muchos colores. *Negra, la gente negra.*[50]

Otros asumen la identidad racial a partir del intercambio con sus semejantes:

> Bueno, en los años de los años, cuando yo estuve en la escuela con los jamaicanos y los africanos, aquí en la Aracelio Iglesias, cuando había esta gente así, que éramos tres o cuatro, que nos metían en un calabozo simplemente por

[49] En conversación con Nelson C., *Yaman*, del grupo Magia Negra, el 9 de mayo de 2001.

[50] En conversación con Lucas el 17 de septiembre de 1998.

tener los drelos [sic] en la cabeza, que cuando cualquiera te podía humillar: "Eh, oye, mira ese *negro* está loco" y veinte mil cosas, ¿me entiendes? nos conocíamos más, había más amor, había más compenetración en lo que era la idea Rastafarismo [sic] en el mundo [pausa] ¿me entiendes?[51]

o del intercambio con el resto de la comunidad:

> En Las Tunas, los blancos oyen a Juan Gabriel, a Back Street Boys, y ven al reggae como música para negros. Como son ellos los que hacen las actividades, las fiestas más grandes y concurridas, porque tienen más recursos, entonces se hacen sentir más. Los negros tienen muy poca representatividad en la cultura de Las Tunas. En Cultura Provincial, por ejemplo, hay 11 trabajadores y 10 son blancos. Existen prejuicios raciales negativos en la difusión de la cultura en Las Tunas, y se multiplican cuando se trata de Rastafari.[52]

No obstante, el etnos cubano no contradice la multirracialidad de la nación como construcción cultural inclusiva y diversa. Rastafari es una cultura alternativa asumida fundamentalmente por la juventud afrodescendiente, entiéndase negra o mestiza, que reúne en sí misma algunas de estas consideraciones. El Rasta por lo general define su personalidad ante todo como individuo, luego asume una postura con respecto a la raza negra y se distingue del Rasta jamaicano o de otro rincón del mundo al asumir entonces su nacionalidad, tal como me lo expresó este colaborador y artista aficionado de la plástica en respuesta a un comentario sobre

[51] Rasta nro. 4 el 2 de mayo de 2000. Todas las entrevistas citadas realizadas en esta fecha fueron conducidas por el estudiante Harold Pérez durante un trabajo de investigación presentado en la Facultad de Lenguas Extranjeras de la Universidad de la Habana. Aquellas personas que no revelaron su identidad durante las entrevistas o los grupos de debate aparecen citados aquí con un número, a pesar de que durante la observación participante y las resultantes historias de vida pude conocer o deducir la identidad de algunos de ellos. Aun así no los nombro aquí por cuanto en ese primer encuentro prefirieron no revelar su nombre.

[52] En conversación con Lester McCollins Springer, pintor Rasta de Las Tunas, el 23 de marzo de 1999.

sus esculturas: "Tiene que ver conmigo. Yo soy negro, cubano, de la Habana Vieja, esa es la idiosincrasia, ese soy yo. Ahora, que tenga otras influencias debido a la religión [de origen africano], bueno, también las tengo".[53]

También lo cree así este artista graduado en la Academia de San Alejandro:

> Tenemos en este momento que decir que en Cuba Rastafari no es guiado por gente de otros lugares que viene y dice: "Ustedes no hacen tal cosa, o esto o lo otro". Yo pienso que los cubanos Rastafari tienen que sentir un orgullo muy nacional porque para ser Rastafari en Cuba sin muchas condiciones es [motivo] para tener un orgullo muy profundo y siempre brindarlo hacia fuera.[54]

No obstante, al asumir una identidad racial algunos expresan sus reservas. "Vivimos en una sociedad donde las diferencias entre blancos y negros no deberían existir. Yo no odio a los blancos, sólo a los que me humillan. No todos los blancos son mis enemigos, pero no todos los negros son mis hermanos".[55] Esta opinión revela la influencia de Malcom X como paradigma negro asumido por este Rasta ante la ausencia de un paradigma negro cubano.

Pero éste no sería el único caso. Un escultor de la Habana Vieja conversaba conmigo mientras le daba los toques finales en su banco a una pieza de madera oscura. Un sobredimensionado puño cerrado, ligeramente inclinado, de color oscuro, casi negro y con una base rústica. Le motivó el Rastafari, decía, porque desde niño siempre fue un poco "africanista". También le gustaba la personalidad de Malcom X. Luego, a mediados de los noventa leyó a M. Garvey indirectamente, o sea, un escrito sobre Garvey cuyo autor no recuerda. Cuando lo leyó, se dio cuenta de que era un Rasta. Le llamó la atención la capacidad creadora que veía ante

[53] En conversación con Rasta nro. 8 el 2 de mayo de 2000.

[54] Presentación de Ras Iriel durante el encuentro teórico en el Festival de Reggae en homenaje a Bob Marley el 6 de febrero de 1999 en la Casa de la Cultura de Plaza.

[55] Rasta nro. 4 el 2 de mayo del 2000.

sí siendo Rasta y además el hecho de que Rasta simbolizaba una imagen que nació en África. La hermandad entre los seres humanos es "lo máximo", concluyó.[56] Así con paradigmas extranjeros le nació un interés por lo afro.

Como en otras sociedades, en Cuba también se han reproducido la lenta movilidad social, el blanqueamiento de lo negro, la denigración y la autodenigración del negro y los estereotipos eurocentristas de belleza física. Los Rastas tratan conscientemente de no reproducir entre ellos estos vicios racistas.

"Afro" no es un prefijo que denote sólo características marcadas por el color de la piel, sino además por elementos culturales e históricos que influyen en la visión del mundo de un individuo o del grupo social al que pertenece y con el que se relaciona por asumir una identidad común. En otras palabras, "afro" significa la conciencia que se tiene de la existencia de esta realidad, más que la melanina en la piel.

En resumen, Rastafari es una tendencia cultural alternativa de la juventud afrodescendiente. No obstante, dadas las características multirracial y étnicamente diversa[57] de la cubanidad, existen dos razones por las que el prefijo "afro" se torna controversial a la hora de caracterizar a la mayoría de los Rastas y al Rastafari cubano.

Primero, si el estudio de la versión cubana de Rastafari pretende analizar la posibilidad de la futura asimilación y legitimación de esta universalizada cultura en el contexto sociocultural cubano, como ya el hip-hop y el rock hechos por cubanos han sido asimilados, entonces se contradice lo que generalmente se entiende como cultura cubana porque un Rasta negro es tan cubano

[56] Entrevista con Manolo de Jesús el 14 octubre de 1998.

[57] Antes había utilizado el término "uniétnico" en referencia a la simbiosis de culturas de diferentes grupos étnicos en disolución que se encuentran dentro del etnos cubano. En este caso se enfatiza la diversidad dentro de la unidad. Insisto en esta palabra porque, aparentemente nueva, la palabra "etnos" es veterana en las ciencias sociales. A fines de la década de los años veinte, Sir Arthur Keith la utilizó —en inglés— cuando la novedad era reconocer la importancia de los problemas políticos y socioculturales y no los biológicos en el reconocimiento de la diversidad cultural y la definición de *razas* en un libro titulado *Ethnos or the Problem of Race Considered from a New Point of View* (Keagan Paul, Trench, Trubner and Co. Ltd., Londres, 1931).

Rostros de la diversidad: Félix Pablo.

como un roquero blanco; por lo tanto, enfatizar el origen étnico racial del Rasta no es pertinente. Una de las controversias que se derivan de esto es la siguiente: si ya existe hip-hop o rock cubanos, ¿por qué sólo Rastafari o el Rasta debe ser calificado clasificado como "afrocubano"? Mi propia respuesta —porque aún es una tendencia cultural alternativa, algunos dirían "tedencia *subcultural*"—: porque se refiere en buena medida a la retroalimentación de los Rastas de la percepción que la sociedad en general tiene de ellos, es la idea que algunos Rastas se hacen de los bajos niveles de aprobación social. En otras palabras, mientras para algunos sería "ofensivo" calificarlos como exponentes de una subcultura, otros consideran que eso es precisamente lo que encarnan: "indiferencia",[58] ser "causante de problemas".[59] En cualquier caso, estas opiniones implican que es una manifestación cultural no plenamente asimilada ni legitimada ni masificada aún en la sociedad cubana como el hip-hop y el rock.

Segundo, a pesar de que es conocido que el orgullo racial ha sido uno de los pilares filosóficos de Rastafari a nivel mundial, ya no es una cultura alternativa relacionada únicamente con la cantidad de melanina en la piel; es una cultura que crece, aunque desvirtuada, entre otros sectores de la juventud cubana, y la difusión de su mensaje va más allá de un público cubano exclusivamente negro o mestizo. Los propios Rastas afirman que Rastafari no tiene que ver con el color, al tiempo que extienden el término "Rasta" a aquellos "hermanos blancos" o de piel clara que rechazan los estereotipos raciales menospreciadores del negro, como el criterio hegemónico y eurocéntrico sobre la belleza física.

Por lo tanto, en el análisis de esta variable, afro no es una noción excluyente en el tratamiento de la cultura Rastafari en Cuba. Sin embargo, la investigación revela que también es cierto que la cultura Rastafari en Cuba brotó entre un pequeño sector social de la juventud cuyo rasgo común, además de la simpatía por la nueva música y el original estilo de vida, era la raza negra. De entre todos los entrevistados y los que participaron en los grupos de

[58] Entrevista a Niurka, 11 de noviembre de 1998.
[59] Entrevista a Elio, 15 de noviembre de 1998.

debate, 100% de los que se acercaron por primera vez a Rastafari en la década de los ochenta, cuando comenzaba a hacerse visible en Cuba, son negros y se identifican a sí mismos como tales. Durante el *boom* de los noventa, hay un alto porcentaje de negros entre los nuevos simpatizantes, lo que contrasta con la mayoritaria presencia blanca en el rock, por ejemplo. Por ello, a pesar de las dos razones anteriores, el prefijo "afro" en "Afrocuba" es válido como categoría metodológica operacional sin soslayar la nacionalidad.

Entre la religión y la cultura

Durante el período inicial de estudio, para determinar la posible presencia de Rastafari como religión, se consideraron la autofiliación (en el caso de que los individuos declararan abiertamente tener fe en el conjunto de ideas espirituales o divinas que rodean a esta cultura, la creencia de que Haile Selassie I es una personificación de Dios y la aceptación de que la espiritualidad Rastafari dominara sus vidas), y la apreciación resultante de la observación participante (en el caso de que los sujetos no se manifestaran al respecto y pudiera deducirse su actitud espiritual o dominio del esoterismo).

En este sentido, menos de la mitad (35% aproximadamente) tenía "filiación religiosa"[60] en el momento de la entrevista o participación en los grupos de debate. Esto quiere decir que se podía apreciar en estos sujetos distintos niveles de conciencia religiosa que influían en el reconocimiento de los problemas de la vida cotidiana. Por otra parte, para aquellos sujetos cuya experiencia diaria no estaba determinada por la conciencia religiosa, Rastafari no era más que un modo de vida, una forma de expresión cultural o filosófica, impregnada sólo de una expresión mística que no llega a dominar al individuo en su accionar cotidiano.

[60] Este término es utilizado en consonancia con mi clasificación de los tipos de Rastas que presento con más amplitud posteriormente.

Rostros de la diversidad: Daniel.

Por lo tanto se imponen algunos criterios teóricos para definir y caracterizar la variable conceptual *religión*, sobre todo en su estrecha relación con la cultura, para responder a la interrogante de si Rastafari es en el contexto cubano un "modo de vida", una "religión", o incluso un "modo de vida religioso" liberal que, en franco eclecticismo, reúna aspectos de los dos anteriores.

Asumo el criterio filosófico marxista según el cual la religión es una forma de la conciencia social mediante la cual el hombre se conoce a sí mismo, a la naturaleza y a la sociedad circundantes; sin embargo, este conocimiento es irreal a pesar de que parte de la propia realidad porque es el efecto de la interpretación personal de esa realidad. Es un conocimiento socialmente determinado y por lo tanto temporal o transitorio, ya que puede variar a la vez que varían los niveles de relaciones sociales de los individuos. De hecho, Engels la definió como el reflejo fantástico de las fuerzas externas que gobiernan la vida diaria del hombre, "un reflejo en el que las fuerzas terrenales revisten formas de poderes supranaturales".[61]

Se tomaron en cuenta además otros criterios complementarios de definición y clasificación de Houtart (1998), Johnson-Hill (1995), Tillich (1978), Hardwick (1973), entre otros. De ellos, Hardwick resulta muy relevante ya que le atribuye gran importancia a los símbolos y los valores. "Identificó"[62] la religión como producto de los procesos dinámicos en los movimientos "contraculturales". Para él, puede hablarse de religión no sólo donde haya teísmo, donde existan instituciones jerarquizadoras o formas religiosas como cultos o rituales, sino además —y aquí radica lo socialmente útil de su punto de vista— donde un enfoque funcional pueda caracterizar para qué sirven un conjunto determinado de expresiones y cómo se manifiestan. Parafraseando a Hardwick, las funciones son "religiosas" en un grupo social si desempeñan el papel de "integración simbólica".[63] Este criterio funcional de Hardwick, donde el concepto de lo religioso no se reduce a los procesos teológicos ni solamente a los aspectos so-

[61] Frederich Engels: *Anti-Düring*: Editorial Pueblo y Educación, La Habana, 1973, p. 384.

[62] Eufemismo que utiliza Hardwick en lugar de *definir* la religión. Para él es un término tan complejo que todo intento de definirlo sería en uno u otro aspecto superficial, por lo que era más factible determinar dónde y cómo se expresa en lugar de definirla.

[63] Hardwick define la integración simbólica como "un conjunto de significados, objetivos e ideales, celebrados en culto o ritual que tienen lugar en la vida diaria, por medio de los cuales una sociedad [un grupo social] y, por lo tanto los individuos que la constituyen, fraternizan y comprenden las vicisitudes de la vida histórica, social y personal" (1973:290).

ciales que ellos entrañan, aporta elementos para caracterizar este tipo de expresión alternativa de origen religioso en medio de un contexto cultural dominante. Lo que me interesa es resaltar que una manifestación tan diversa y dinámica como Rastafari, tanto que para muchos ni siquiera es una religión, se constituye precisamente por el significado dado a un número de símbolos, que algunos terminan por considerarlos sagrados. Según este criterio, pudiera decirse que los *hippies*, por ejemplo, eran religiosos.

Es precisamente la presencia de una simbología lo relevante para este estudio. El teólogo Johnson-Hill (1995:127) admite que los símbolos de la conciencia o expresión religiosa transmitidos históricamente, siempre conllevan la expresión de una dimensión cultural porque son parte de un todo social o cultural, ya que el contenido de los símbolos se deriva de las sociedades y las culturas que éstos representan. En el caso cubano, el significado atribuido a estos símbolos por lo general varía al extrapolarse desde otro contexto sociocultural y relacionarse con aspectos culturales e históricos diferentes, con la idiosincrasia de la nación. Por lo tanto interactúan con la percepción individual de la cultura nacional en los sujetos y llegan incluso a coexistir en un mismo individuo con aquellos símbolos de otras religiones como el catolicismo, pues hay Rastas santeros, católicos y hasta masones.

Por otra parte, es pertinente hacer una distinción. De esta simbología son partes los símbolos y los atributos. Si bien, tanto a los unos como a los otros, se les atribuye un significado explícito, los símbolos son, a mi entender, los significantes abstractos o inmateriales, mientras que los atributos son los elementos tangibles, concretos. Los símbolos se agrupan en sistemas de cultos, mitos, cantos, creencias, leyendas y el lenguaje, mientras que los atributos pueden ser los pulsos, los collares, los *tams*,[64] el vestuario, los *dreadlocks*, etcétera. Un grupo social los utiliza no sólo para expresarse socialmente, sino para legitimar el significado de sus vidas a nivel individual y grupal. Estos símbolos y, por tanto, también los atributos, son "una forma particular de ser consciente de

[64] *Tam* es el gorro que los Rastas utilizan para mantener los *dreadlocks* cubiertos y ajustados. Generalmente es tejido y está decorado con diversos colores e imágenes.

una identidad, estilo de vida y visión del bien propios" (Johnson-Hill, 1995:8-9).[65]

Además, las formas de ver el mundo cambian muy dinámicamente, según me lo confirmaron, durante la investigación, las historias de vida de algunos Rastas. Uno de San Miguel del Padrón, por ejemplo, cuando lo conocí, me habló muy bien, con mucha convicción y conocimiento religioso, de las razones de la divinidad de Selassie I, demostrando tener un nivel cultural elevado para interpretar los temas bíblicos e históricos relacionados con la figura del emperador etíope. Unos tres años después se había cortado el pelo y había "dejado eso para ser otra persona".[66] Otros no lo abandonan totalmente, sino que cambian su perspectiva o filiación de religiosa a filosófica, para "poner los pies en la tierra y vivir en Cuba",[67] con tantos problemas personales y sociales que la religión por sí sola no basta para resolver.

Por tanto, la filiación religiosa era inconstante según variaba el significado de los símbolos y atributos. El principal atributo de Rastafari, que deviene símbolo también, es el pelo naturalmente tejido en forma de *dreadlocks*, a pesar de que "no hay que tener *dreadlocks* para ser Rasta".[68] Sin embargo, otro dato que se debe considerar tiene relación con este atributo: del total de la muestra aleatoria, casi todos tenían *dreadlocks*, pero sólo la mitad de ellos creía en la divinidad de Selassie I.[69] Además, de aquellos que se acercaron a Rastafari a través del proselitismo, oyendo hablar de Selassie o Jah y de la espiritualidad circundante, a muchos los conocí con una visión ya más liberal (léase esnobista según mi posterior clasificación de las filiaciones), donde la fe y el

[65] Trad. del autor. El texto original dice: "*[...] a particular way of being conscious of one's identity, lifestyle, and vision of the good* ".

[66] Este cambio entre los Rastas es frecuente, aunque no tan radical como esta experiencia de Yoel, en San Miguel del Padrón.

[67] Así me lo describía Ras Iriel durante una de las conversaciones que sostuve con él.

[68] "Don´t haffi dread fi be Rasta" es el título de una canción de Morgan Heritage, grabada en el CD homónimo del año 2000.

[69] En cifras, 91% de los que colaboraron directa o indirectamente con este estudio tenían *dreadlocks* y 43% del porcentaje anterior divinizaba a Selassie I.

subjetivismo inicial se veían superados por la realidad. Este cambio está directamente relacionado con el contexto cultural diverso y abierto a múltiples influencias que rodea a la juventud y, específicamente, al Rasta cubano. Teniendo en cuenta esta movilidad de perspectiva, Rastafari, en términos generales, no es solamente una religión, para algunos es un "modo de vida con elementos religiosos", para otros es en general un "modo de vida" o "estilo de vida". Muchos criterios sustentan este juicio valorativo. Por ejemplo, Manolo, destacado artista de la plástica, escultor y pintor, comentó a uno de mis estudiantes:

> Para mí no es religión, para mí es más bien una actitud ante la vida, es una forma con cierta doctrina sin ese dogma tan ceñido como para otros, ¿no? Eso es lo único que puedo responderte. Es una forma de vida con cierta libertad, cierto conocimiento de causa, de... y eso.
>
> *Y usted se considera un verdadero Rasta.*
>
> Un ser humano con actitud de Rastafari, algo ecologista.
>
> *Sí, anjá, ¿por qué usted me dice esto, porque hay cosas que los Rastas..?*
>
> ...hay cosas que no se adaptan a mí. Porque ya yo llevo una cultura. Ya yo llevo trascendiendo en una sociedad y una historia, un conocimiento para yo ir hacia ciertas cosas que para mí son de cierta manera dogmáticas y... lo mío na' má' es la actitud y cierta doctrina ante la vida, más na'. Eso es el Rastafarismo [sic] pa' mí.[70]

Al usar el concepto de religión en este contexto, es importante asumir sus caracteres social, transitorio y creativo, implícitos en la interpretación marxista de la religión, y el carácter de resistencia cultural.

[70] Manolo de Jesús en un debate con un grupo de otros Rastas durante la inauguración de la exposición de pintura de Ras Iriel, Hotel Ambos Mundos, 2 de mayo de 2002. Esta conversación fue llevada por mis ex estudiantes Yilliana Montpellier Vázquez y Harold Pérez Corbo.

Además, sin entrar en ulteriores análisis de clasificaciones o subdivisiones que fragmentan la religión en sectas, cultos, etcétera,[71] considero, no obstante, que el denominador religioso en las diversas definiciones de Rastafari es imprescindible por cuanto, desde un punto de vista simplificado, para aquellos practicantes cubanos más ortodoxos, Rastafari tiene lo que toda religión debe tener: un dios o ser divino: Jah Rastafari-Haile Selassie I; un texto sagrado (o más de uno): la *Biblia* (sobre todo el Antiguo Testamento), el *Holy Piby*, el *Kebra Nagast* (o *La Gloria de los Reyes*), etcétera; un "paraíso" idealizado: África, Sión (*Zion*), Etiopía; un "infierno": Jamaica, América, Babilonia, el Nuevo Mundo; profetas, misioneros, líderes y paladines: Leonard P. Howell, Joseph Hibbert, Marcus Mosiah Garvey, Mortimo Planno, Ras Sam Brown, Robert Nesta Marley, etcétera.

Asimismo, existen reuniones rituales o congregaciones con cierta periodicidad. En Cuba, los Rastas de fe o religiosos comparten un conjunto de prácticas comunes por lo que no se fragmentan en "Casas".[72] Una de estas prácticas es el llamado "binghi", un tipo de congregación o convención que casi anualmente, al menos entre 1998 y 2003, ha reunido a algunas decenas de hermanos en un peregrinaje casi nacional hacia un paraje rural, montañoso y alejado de lo urbano, preferiblemente desde la capital hacia la zona oriental, donde se consagran algunos atributos (como la bandera tricolor Rasta) con música, cantos y alabanzas.

Otro aspecto influyente dentro de lo religioso es el concepto de Babilonia, el *bábilon* en el léxico Rasta cubano. El origen de esta analogía radica en el II Libro de los Reyes, entre otros pasajes del Antiguo Testamento, donde se relatan los inicios y las penurias del cautiverio judío en Babilonia en el siglo VI a. n. e.

[71] A menudo se lee en la bibliografía escrita o se escuchan opiniones que caracterizan a Rastafari como una secta o culto. Dado el caso cubano que analizo, no considero relevante estas disquisiciones por cuanto, como he explicado, no es lo religioso lo primordial sino que se manifiesta ante todo como una tendencia cultural, un modo de vida dinámico, cambiante, transitorio.

[72] Del inglés *house*: tipos de Rastafari, equivalentes a las denominaciones de las iglesias cristianas protestantes, que respetan diversos hábitos y prácticas.

Binghi subiendo una loma de El Cobre, Santiago de Cuba. (Foto: Sister Lilly Mihiriette Amlak).

bajo las órdenes del rey Nabucodonosor II. Los judíos se consideraban a sí mismos en el "exilio" esperando siempre regresar a Palestina. Del fin del cautiverio de Babilonia se habla en Isaías y Apocalipsis. El rapto, el cautiverio, la travesía trasatlántica y la esclavización del negro africano en América es sinónimo de ese cautiverio judío en Babilonia. A mi entender, éste es el término que coloca a Rastafari justo en la frontera entre lo meramente religioso y lo culturalmente popular entre los hermanos. El significado histórico y religioso, aunque no siempre conocido, ha hecho de este vocablo uno de los más frecuentes y usados en el vocabulario Rasta no sólo cubano sino a nivel global. A través del uso de este concepto, los más ortodoxos manifiestan una franca oposición a los sistemas políticos dominantes, sus leyes, el ejercicio de la autoridad institucional, la dominación cultural colonialista e imperialista y el ultraje a la naturaleza en el sentido más amplio de la palabra. Sin embargo, no todos los Rastas conocen por la *Biblia* u otra fuente del verdadero origen de esa antigua relación, sólo les llega el vocablo a través de los textos del reggae y el uso popular de la fraseología rasta (*dread talk*) a través de la transmisión oral impulsada por el reggae como veremos en el capítulo tres.

Biblia de Ras José Tamayo ilustrada por él mismo en septiembre de 1998.

El ejemplo de liberación nacional de Cuba, que se presentaba en 1959 como una sociedad virtualmente libre del hostil modelo capitalista, tuvo entonces la amplia simpatía de muchos Rastas en Jamaica hacia Fidel Castro y la Revolución cubana en sus primeros años (Smith *et al.*, 1960:21; Campbell, 1997:103; Owens, 1976:38; Chevannes, 1995:249). De manera que desde entonces era evidente que el nuevo orden socioeconómico cubano se apartaba de la sociedad capitalista y colonialista, reflejada en el concepto de Babilonia. En esos primeros años de la Revolución, Rastafari ni siquiera había comenzado a crecer en Cuba, pero esto constituye un curioso antecedente de cómo la variable conceptual Babilonia cambiaría de significado ante la entrada de la cultura Rastafari en Cuba.

La noción de Babilonia para el Rasta cubano, en la actualidad, es sumamente compleja. El término está muy relacionado con su significado para los Rastas en el mundo, entre otras cosas está vinculado a la existencia de la ley, la autoridad, cuerpos represivos como la Policía, el ejercicio de la violencia como un vicio cotidiano, los problemas socioeconómicos y el desdén de la sociedad. Todo tipo de violencia, actitud innatural o agresiva en cualquier aspecto de la vida social, que contradiga la filosofía Rasta de "paz y amor" es censurado sin vacilación por los simpatizantes más tradicionales o conservadores. Además de la Policía y la violencia, existe la percepción general de que la crisis económica del Período Especial y, por consiguiente, la visible desigualdad social, el auge de la prostitución y de los prejuicios raciales, y otros problemas sociales que reemergieron en esta etapa, son sinónimos de Babilonia.

Para algunos es "algo universal que no se puede restringir a un país o etnia"; para otros es simplemente "el estómago de la bestia" a donde va a parar todo lo negativo: el "alto grado de corrupción y maldad en la sociedad", o "la mala educación, el mal vocabulario, etcétera, que se aprende a través de las relaciones que se crean en la escuela". En general, las variadas interpretaciones de Babilonia están todas asociadas al origen religioso del término pero coexisten, a veces en un mismo individuo, no siempre en un contexto religioso sino como parte de una filosofía de vida más allá de la doctrinas místicas y esotéricas.

De hecho, definir Rastafari como religión en Cuba es tan complejo como definirlo en su contexto global. Para terminar el breve análisis de esta variable, "religión" no es el término apropiado para un enfoque amplio de Rastafari en Cuba; los verdaderos "hermanos", "practicantes" o "creyentes" son apenas unas pocas decenas. Ariston, estudiante caribeño residente en Cuba entre 1995 y 2001 aproximadamente, vaciló durante casi un minuto antes de responderme a una pregunta sobre el número aproximado de Rastas en Cuba.

> *Más o menos, tírame un cálculo de cuántos Rastas hay en La Habana, amigos tuyos, gente que tú conoces, ¿cien, doscientos, quinientos, mil?*
>
> Bueno, es un cálculo un poco difícil, ¿sabe por qué? Bueno, lo voy a hacer, yo voy a hacer un análisis en voz alta, ¿no? OK, hay un grupo de Rastas, ¿no?, a veces un individuo

no tiene… la capacidad de crear, crear no es destruir, es al revés, ¿no? Ahora, la gente que se ha identificado, ¿no?, porque eso es otra cosa, quieren tener la identidad de [palabras inaudibles] gente que ha estado a mi alrededor... que puedo llamar y han dado testimonio, ¿no?, de las cosas de Rasta... en La Habana...

...ya sea por el pelo o...

…sea por el pelo o sus obras… sí, porque las obras es lo que tú haces, lo que te gana el dinero. A ver... diría doce.

¿¡Doce!?

Para dar un número, ¿no?

Muy pocos.

Sí, muy pocos, porque muchos han cogido el pelo por la fama que ha logrado en Jamaica, un país altamente político. A esa gente en Jamaica le dicen "*rentadread*" —rasta de renta—, en mi país le dicen "rastituta" —'Rasta prostituta'— y hay muchos aquí que han utilizado su cabeza para crear eso, la prostitución, ¿no? Digo, entonces, porque hay más de doce con el pelo, pero muchos son "rastitutas". [73]

Doce es un número increíblemente reducido y aludía también al factor cualitativo que él le atribuía al comportamiento y las relaciones sociales entre los practicantes. Para él, muy pocos observaban estos aspectos religiosos, el resto simplemente no eran Rastas.

De hecho, los datos de la muestra arrojan que menos de la mitad tienen filiación religiosa y apenas una décima parte de ellos cree en la divinidad de Selassie, el principal símbolo. Lo que realmente importa para el estudio de Rastafari como tendencia cultural alternativa dentro del contexto cubano son aquellos aspectos espirituales que se reflejan en las expresiones culturales asociadas a la ideología Rasta. La alta recurrencia de estas ideas

[73] Entrevista con Ariston, 12 de septiembre de 1998.

en los textos del reggae es lo que justifica que sea ésta una de las aristas más reveladoras del espectro temático del quehacer musical que debatimos en el siguiente capítulo.

¿Somos un movimiento?

Otro aspecto que realza la polémica conceptual en torno a Rastafari es el término "movimiento". Entiendo por "movimiento" un grupo social cuyos miembros comparten, entre otras cosas, un conjunto de ideas coherentes y entre ellos surgen figuras descollantes de liderazgo y representación que los simpatizantes siguen en sus acciones sociales, políticas o culturales. En algunas caracterizaciones aparece la palabra "movimiento" apropiadamente usada cuando se refiere a las acciones aglutinadoras y magistrales de líderes llamados a veces "profetas" (Williams, K., 1981, *e. g.*) por sus actividades de instrucción religiosa, proselitismo u organización —como Howell, Hibbert, Planno, Ras Sam Brown y otros. Estas personas crearon e instruyeron a grupos de Rastas en algunas comunidades rurales y urbanas pobres de Jamaica, y

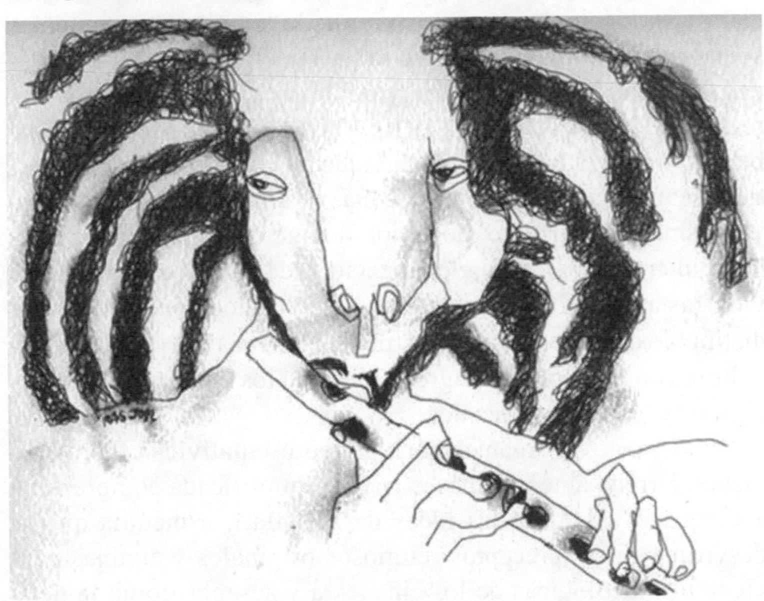

su influencia llegó más allá, a otros rincones del mundo. La labor de estos líderes fomentó la *resistencia cultural* como la característica más importante de Rastafari en algunos momentos y espacios de su historia.

Por lo tanto, un movimiento puede ser social, político o cultural a juzgar por los tipos de acción que desarrolle. A partir de aquí, un movimiento puede organizarse e institucionalizarse a la vez que crece en número de adeptos, o sea, llegar a tener relevancia, reconocimiento o una representación oficial en algún nivel social, local o nacional. Por ejemplo, retornando nuevamente a la comparación inicial, en Jamaica, sobre todo en las décadas de los cincuenta y los sesenta, Rastafari fue un movimiento mucho más que cultural, fue un fuerte movimiento social e incluso llegó a tener un notable protagonismo político durante las campañas electorales, a la par de otros movimientos sociales de la época como el Black Power (Campbell, 1985; Giovanetti, 1998; Furé Davis, 2000).

Hasta esas fechas el movimiento aún exhibía un gran nivel movilizativo y aglutinador, perfectamente compatible por lo esencial de su ideología con los intereses de los otros movimientos sociales (sobre todo los de tipo racial) que durante esas décadas dominaron el panorama social y político de África, Jamaica y el resto del Caribe (Nettleford, 1970; Rodney, 1969). Mostraba también cierto nivel organizativo, aunque no era ésta una característica esencial dada la presencia de más de una figura con liderazgo y carisma. Sin embargo, posterior al auge de la música reggae a nivel internacional y a la globalización de la ideología y modo de vida rastas por todo el mundo a partir de los años setenta, se distinguió entonces como un estilo de vida más liberal, como una cultura con muchos más ingredientes que los componentes ideológicos y esotéricos iniciales.

El liderazgo, la organización y la representatividad fueron cediendo terreno ante una más masiva y simplificada comprensión a nivel individual de las ideas de Rastafari, a medida que se desvirtuaban los preceptos religiosos originales y algunas convicciones ideológicas de los cincuenta y sesenta, como la de la repatriación a la Madre África. Si algún "liderazgo" existió en esa universalización cultural de Rastafari, fue la figura de Bob Marley que las casas disqueras crearon y difundieron por todo el mundo. Antes, la presencia de Rastafari en la esfera artística había comenzado sobre todo con la literatura[74] pero el alcance de ésta nunca pudo compararse en magnitud con el que alcanzó la música.

Además, la noción del individuo ha tomado más relevancia *versus* la colectividad y el liderazgo institucionalmente organizado. En otras palabras, en la medida en que Rastafari se difundía comercialmente o como cultura de consumo por el mundo, iba desapareciendo la necesidad de un misionero, de un líder o de una representación comunitaria o local para que emergiera y se multiplicara en nuevos y cada vez más diversos espacios. El reggae se convirtió entonces en su "misionero", en el "líder" fundamental, alrededor del cual se aglutinaban grupos, ideas, para la difusión de Rastafari como una cultura de resistencia. En otras palabras, no era ya esencial una causa común de lucha, en lugar de eso se convirtió fundamentalmente en una cultura subalterna, una alternativa de los marginados ante lo dominante. Dejó de ser un movimiento dado su carácter difuso, disperso y diverso. En esta etapa se diversificó también el modo de vida y se adaptó a los nuevos espacios y culturas; surgieron los distintos tipos de Rastas: el que simpatizaba con el modo de vida religioso, el ecléctico, el drela, etcétera, clasificaciones que llegaron para sumarse a las doce Casas de Rastafari ya existentes entre los verdaderamente ortodoxos y conservadores en otras partes del mundo.

[74] El vehículo fundamental en su difusión mundial ha sido el reggae, aunque no se puede dejar de analizar el papel de la literatura caribeña, sobre todo la de expresión inglesa, que a partir de la década de los cincuenta le dio también protagonismo a Rastafari y a los Rastas en obras ya consideradas clásicas como *Brother Man* (1954), de Roger Mais; *The Children of Sisyphus* (1964), de Orlando Patterson, entre otras. Paralelo al desarrollo del reggae, surge una forma de poesía muy arraigada en la oralidad, el ritmo y las raices africanas (Kamau Brathwaite, Bongo Jerry, entre muchos otros) y otro estilo de expresión poética que desde principios de la década de los setenta, además de las características anteriores, tenía sus cimientos en la música reggae. Estos últimos son los llamados poetas *dub* como Linton Kwesi Jonson, Mutabaruka, Oku Onuora, Lilian Allen y muchos más.

Sucintamente, Rastafari crece con las especificidades y regularidades de cada individuo; la colectividad pasa a un segundo plano. Por lo tanto, el término "movimiento", que sugiere colectividad y unidad de acción y de pensamiento, no atesora la diversidad que caracteriza a la cultura Rastafari.

Desde este punto de vista, no siempre ni en todos los espacios y momentos de su proceso histórico global, Rastafari ha sido un movimiento político, social o religioso. Es en ese contexto de globalización cultural que llega y se difunde por Cuba; por consiguiente, contrario al criterio conceptual de Cashmore, por ejemplo, quien prefiere el uso del término "movimiento" sólo por el favoritismo de los Rastas en su investigación (1979:8), considero que no es apropiado definirlo como tal. A pesar de que en el caso cubano, como en otras partes del mundo, los Rastas comparten un conjunto de ideas coherentes que giran entre otras cosas alrededor de la cuestión racial y la subalternidad, Rastafari en Cuba es no sólo diverso (carece del consenso ideológico y de acción esenciales que hasta finales de los años sesenta tenía en Jamaica), sino que tampoco cuenta aún con una motivación y unidad de acción colectivas y una organización o representación institucionales. Por ejemplo, cuando en 1998 un pequeño grupo de Rastas residentes en La Habana comenzó a hacer gestiones para obtener el reconocimiento del Consejo de Iglesias de Cuba y contar, por lo tanto, con un reconocimiento y apoyo institucionales, y más tarde hizo gestiones para la creación de una asociación que lograra centralizar sus acciones,[75] esas diligencias no contaron con la amplia difusión, el conocimiento y el apoyo necesarios entre todos los Rastas; existían divisiones de grupos, que fragmentaban la unidad de acción a pesar del interés común de conquistar una aceptación social e institucional. Estas divisiones aún existen.

En otras palabras, Rastafari en Cuba también carece de dos de los elementos principales con los que algunos enfoques teóricos,

[75] En 2002, según la investigación de María Agustina Larrañaga, se acuerda crear la Organización para la Centralización de Rastafari durante un binghi celebrado en los alrededores del poblado santiaguero de El Cobre.

psicológicos y sociológicos definen y caracterizan los movimientos sociales.[76]

Vale también escuchar la voz de los Rastas al respecto. En el debate sobre la cultura Rastafari durante el homenaje a Bob Marley por el 54 aniversario de su natalicio en la Casa de la Cultura de Plaza, Ciudad de La Habana, Ras Aristafari expresó: "El Rastafari *no* es como un movimiento o una organización a la cual se hace uno miembro, sino es algo de reconocimiento, de *yo sí soy*".[77] Este practicante actualmente no reside en Cuba pero, durante la época en que vivió aquí, estuvo muy activo y fue muy influyente; fue el mismo que me había comentado antes que los Rastas en Cuba eran sólo 12.

Otro de los Rastas, Lázaro, de los más conocedores e influyentes por su nivel de comunicación y su expresión poética enraizada en la oralidad, comentó en una ocasión que en Rastafari existe envidia, hipocresía, falta de creación, falta de organización, y apelaba a la necesidad de una comunidad de intereses. Afirmaba en 1999 con certeza y convicción:

> [...] debe haber una organización "autoeconomizada" [sic] que abarque a todos, con [pequeños] negocios propios como paladares vegetarianos que ayudan a la economía personal y comunitaria, y estatal porque hay que contar [también] con el Gobierno... reconociendo lo que podemos hacer para nosotros mismos, trabajando con sinceridad mutua a fin que podamos nosotros mismos desarrollar nuestro propio bienestar. Hace falta armonía necesaria para resolver nosotros mismos este problema cambiando las ideas que tenemos unos sobre otros.[78]

[76] Kebede y Knottnerus critican la *resource mobilization theory* que, al explicar los movimientos sociales, considera únicamente el porqué y el cómo de la movilización o la acción, relegando a un segundo plano el qué, o sea, las ideas movilizadoras y los intereses que los propios participantes difunden entre los nuevos adeptos de los movimientos (1998:499-501).

[77] Tomado de la presentación de Ariston en la jornada de homenaje por el 54 aniversario del natalicio de Bob Marley en la Casa de la Cultura de Plaza, 6 de febrero de 1999. Las cursivas son mías.

[78] De la conversación con Lázaro el 15 de febrero de 1999.

Aún hoy criterios similares sobre la diversidad de intereses y de grupos, prevalecen en muchos Rastas. Con estas palabras, Lázaro me demostró que conocía la obra y las ideas de Marcus Garvey. No obstante, fue más allá al sugerir, de forma hipotética e idealista, ideas políticas similares a las de Garvey cuando creó y reformó la UNIA. Lazaro me transmitió que "estableciendo algunas industrias estaremos progresando hacia una posición en que crearemos empleos para los nuestros".[79]

Teniendo en cuenta lo anteriormente expuesto, intentaremos responder a dos preguntas, a saber: ¿qué es Rastafari? y ¿quién es un Rasta en Cuba?

¿Qué es, entonces, Rastafari?

Rastafari no es solamente un conjunto de ideas religiosas o seudorreligiosas, ni solamente una forma o estilo de vida del que la música, las artes visuales y el lenguaje son partes, ni tampoco es solamente esa cultura transgresora o resistente que presiona desde abajo y casi inadvertidamente a una cultura, dígase, dominante o hegemónica. Es un sistema, una simbiosis en la que estos elementos interactúan entre sí y con la sociedad.

El elemento más significativo en el accionar de este sistema es la amplia simbología que lo sustenta, que incluye símbolos y atributos diversos como cierta idelización de África, los *dreadlocks*, la bandera y otros objetos tricolores (rojo, amarillo y verde), el vocabulario en las relaciones sociales, la música reggae, entre otros. Además, estos símbolos y atributos son los que nutren las tendencias de expresión cultural plástica y musical.

Esta simbología es además el punto de partida de la reproducción por esnobismo de la cultura Rastafari. Algunos atributos y símbolos son de muy fácil asimilación en algunos grupos y sectores de la sociedad en general. Se producen artesanal o industrialmente, se comercializan, se difunden entre personas que los

[79] Ídem.

adquieren o los utilizan por su significado o por pura moda. Veamos algunos de los símbolos y atributos que más contribuyen a caracterizar al Rastafari cubano.

En la última y más reciente fase del desarrollo de Rastafari, cuando los símbolos se han secularizado y sus significados éticos, estéticos o religiosos han sido cada vez más aceptados por otros sectores y grupos sociales de todo el mundo, uno de los ejemplos más elocuentes es la imagen de Haile Selassie I, no sólo como la personificación del "Dios viviente", sino como un símbolo de la nación que resistió al colonialismo en el continente africano. La creencia rastafariana más significativa es la inexistencia de un distanciamiento entre Dios y el hombre. Paradójicamente, la idea del emperador etiope como símbolo divino o sagrado sí es de amplio conocimiento, pero éste no es muy significativo entre los Rastas cubanos. Como comentaba antes, menos de la mitad de la muestra expresó aceptar de alguna manera la divinidad o la sacralización de Selassie. Esto es parte de un estado de opinión muy variable, por lo que los datos recogidos durante las observaciones y las conversaciones pueden diferir de la realidad actual de la misma muestra, debido a la propia dinámica de los procesos de cambio registrados en la cultura.

Para algunos, Selassie era una suerte de figura mística, desconocida. Elio, artillero de la Reserva e internacionalista en Etiopía, me comentaba que no fue hasta su regreso de su misión que se interesó por Rastafari. En una ocasión tuvo la oportunidad de escoger el lugar de una excursión entre el cementerio de los cubanos caídos o el museo de Selassie; él escogió ir al segundo lugar, aunque no lo conocía entonces ni siquiera por referencia.[80] Puede inferirse que esta visita se convirtió a la postre en un importante elemento de identificación con algo que después conocería en Cuba con más profundidad.

Otros se esclarecen del polémico papel que desempeñó Selassie en la arena política internacional o africana y en la nación etiope. Algunas de estas opiniones son el resultado de la lectura de libros

[80] De la conversación con Elio el 15 de noviembre de 1998.

como *Etiopía: La revolución desconocida*, de Raúl Valdés Vivó, entre otros, que constituyeron bibliografía única para quienes en los años ochenta comenzaron a interesarse por el verdadero sentido de la imagen seudorreligiosa que habían asumido.

En un grupo de debate, dos de mis estudiantes, conversando animadamente con varios Rastas, recogieron la siguiente opinión sobre si se conoce o no la figura de Haile Selassie I entre ellos:

> Sí, como que no. Todo ser humano en la vida es utilizado por Dios para lograr un objetivo porque Él es el que nos mueve. Espiritualmente ya el Rasta vive con el movimiento espiritual de Dios. En esa época en que estuvo Haile Selassie en Etiopía debería haber alguien que le hiciera frente a los atropellos que se estaban haciendo. Ahora, todo ser humano a veces cuando tiene verdaderamente un poder en sus manos, escoge el camino del bien, y él escogió el otro camino. Dios lo puso en un beneficio para los etiopes: liberarlos de Mussolini y veinte mil guerras más que habían entre ellos mismos [...] Verdad que fue un rey, de verdad que fue un emperador, de verdad que fue un dios para ellos… […] Yo lo veo así; yo lo veo como el Ché, como veo a Martí, como veo a Fidel, como veo a Lenin, como veo a los líderes políticos. Fue grande políticamente pero después cogió su camino. ¿Quiso ser malo? ¡Quiso ser malo! ¿Me entiendes? Lo veo así.[81]

Para otros, para la minoría más ortodoxa o conservadora, este símbolo es Su Majestad Imperial Jah Rastafari, Rey de Reyes, Señor de Señores, León Conquistador de la Tribu de Judah, siguiendo las influencias proselitistas de los más conocedores de Rastafari con una estricta fe religiosa: de extranjeros, fundamentalmente del Caribe de habla inglesa, becados en Cuba y cubanos Rastas residentes en el extranjero que asumen ideas y parafernalia.

[81] Rasta nro. 4 en la citada transcripción del debate organizado por mis estudiantes durante la inauguración de la expo de pintura de Ras Iriel (Ariel Días García) en el Hotel Ambos Mundos, 2 de mayo de 2002.

Este conocimiento se propagó más en la segunda mitad de la década de los noventa, fundamentalmente por la difusión de ideas que avocaban el derecho de "participar en cualquier fe religiosa"[82] reproducidas en impresos titulados *El León de Cobre*, cuyos tres primeros números editados en el extranjero circularon ampliamente entre los hermanos y hermanas de Cuba. La interpretación de este símbolo en el contexto cubano está directa e históricamente relacionada con la apertura religiosa que el país vivió a partir de 1991 en los inicios del Período Especial.

Por lo tanto, si Haile Selassie I no es para la mayoría de los Rastas cubanos "Su Majestad Imperial", se infiere que existen otros elementos de igual o mayor importancia en la simbología de los Rastas en Cuba. Uno es el continente africano como centro de su espirirutalidad y la ideología del panafricanismo desde una perspectiva contemporánea. África se erige como símbolo de lucha y resistencia al colonialismo, de orgullo racial, no como lo concibió el movimiento Back to Africa ("regreso a África"), que acaparó la atención de miles de jamaicanos de los años sesenta y cuyo objetivo final era la repatriación. En este simbolismo también desempeñan una función esencial las figuras descollantes del panafricanismo en distintas épocas, sobre todo Marcus Garvey y Bob Marley, quienes fueron muy influyentes por el mensaje de unidad africana difundido en todo el mundo.

La imagen de África y su cultura se encuentra con mucha frecuencia en atributos como collares, pulsos, *tams* y otros objetos. Con frecuencia aparece directa o indirectamente como el paraíso idealizado en algunos textos, canciones y obras de arte. Son muy pocos los Rastas que se han referido a la posibilidad de la repatriación física pero, para muchos, África es espiritualmente un punto de referencia inevitable y esencial. "[E]s necesario hacer

[82] *El León de Cobre. Revista de InI para los hermanos y hermanas*. Segunda edición, febrero de 1998, s.p. Estas ediciones contenían algunos textos escritos por los Rastas cubanos más conocedores e influyentes, muchas traducciones y reproducciones de otros artículos, y documentos publicados en esos años en revistas sobre Rasta y reggae en otras partes del mundo. Incluso podía verse en Internet en http://www.geocities.com/leondejudah.

algo por África",[83] afirmaba uno de los entrevistados; él, por ejemplo, no idealiza el Continente como espacio físico, sino la cultura africana en toda su dimensión. A otros los cautivan capítulos interesantes o poco conocidos de la historia y la cultura africanas, que no se aprenden sino con el hábito de la lectura, como las historias de la unión entre los reinos de Salomón y Saba, o las acciones militares de Chaka Zulu y sus tropas.

Otra reinterpretación de este símbolo es el saludo comúnmente utilizado entre los Rastas: un choque frontal de los puños derechos cerrados fuertemente. Según ellos, "se trata de la lucha, de la unidad y de la fuerza" de África y de la raza negra, lo que nos evoca el pensamiento garveyista y algunas canciones de Bob Marley inspiradas en esta idea como "Africa unite" y "Get up, Stand up"; o del lema "*One love, one aim, one destiny*" de la UNIA de Marcus Garvey, reproducido en camisetas y otros objetos personales.

África como símbolo es centro también de una fuerte filiación racial con lo negro, de identificación con patrones raciales que, a veces, llegan incluso a prevalecer sobre lo nacional.

> A mí lo que me vino trayendo más al mismo pensamiento, a mi sentimiento Rasta fueron la visión que tuve yo de otros Rastafaris y a la misma vez cosas que me sucedían que me hacían regresar a la identidad africana. O sea, yo durante una época me sentía completamente cubano, supercubano, cubanísimo [...] pero en un trance de mi adolescencia me empiezo a sentir de que sí: yo soy cubano, me siento que yo soy revolucionario, pero me siento que me están rechazando. Yo me he preguntaba, coño, ¿por qué?, ¿por qué me piden tanto carné, por qué me identifican tanto, por qué razón si yo en mis canciones reflejo que me siento superbién aquí con mi gente? Sentí también una manifestación racista que por mucho tiempo me dije: "No puede ser", hasta que me di cuenta que sí existió [...]

[83] De la conversación con Alejandro, el 10 de abril de 1998; el único Rasta que me confesó que, además del proselitismo, el motivo principal de su "conversión" fue la epifanía.

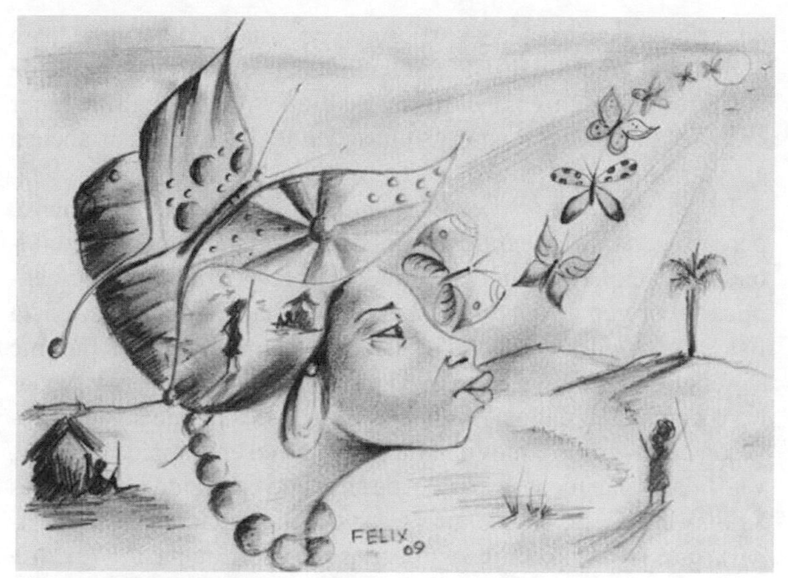

Si la evolución homínida se originó en la tierra madre que actualmente ocupa el continente africano, allí nacieron todas las culturas y por lo tanto comparten elementos comunes. "Sin madres no hay cultura posible."

> Porque yo realmente para identificarme como totalmente cubano y para sentirlo así, yo tengo que ver una igualdad conmigo, ¿entiendes? Muchas veces me siento como un extranjero [...] Esos fueron mis empujones más fuertes hacia la ascendencia africana, hacia esto, porque veía que me estaban sacando [...] Donde quiera que voy, aparentemente yo soy el enemigo [...] Por eso yo siento más como negro, como afrodescendiente [...] que como lo que quieran poner la gente [...] Mi sentimiento por lo afro para mí va a un nivel grandísimo, ¿entiendes? Lo más amplio y lo más grande que me pudo arrastrar a mí a lo que soy hoy.[84]

Otro de los rasgos característicos que también definen el Rastafari es el uso de los *dreadlocks*. En el caso cubano, éste también es

[84] De la conversación con Sekuo el 17 de julio de 2003.

un atributo de marcada significación por cuanto determina, para algunos, el grado de resistencia o rebeldía; para otros, el grado de compromiso con esta cultura. Si bien "no hace falta tener *dreadlocks* para ser Rasta", el cubano sí le da gran importancia a este atributo.

El origen de los *dreadlocks* como atributo Rasta es incierto, pero ninguna de las explicaciones dadas son mutuamente excluibles. Tres expertos han demostrado tres tesis diferentes para explicar el origen de los *dreadlocks*: una imitación de la apariencia física de los guerreros Mau Mau, que usaban *dreadlocks* durante su rebelión en Kenya entre 1952 y 1956; el espíritu revolucionario o de cambio de los Youth Black Faith desde que se constituyeron como grupo o movimiento muy activo en Jamaica en 1949, y la vida estrictamente espiritual de un grupo conocido como Higes Knots (la I-Gelic House, una Casa o denominación rasta original), que introdujo en esos mismos años un nuevo *livity*.[85] La relación entre ellas está en la evidente asociación con manifestaciones de resistencia o trasgresión como características comunes, ya sea, por ejemplo, con la valiente oposición de los guerreros Mau Mau a la ocupación británica en Kenya, o en la intención personal de transgredir los códigos sociales de la belleza física y la buena apariencia. En uno y otro casos están presentes actitudes de los individuos ante el fenómeno Rastafari que se corresponden con las diferentes perspectivas en que se pueden manifestar (religión, estilo de vida, moda, entre otras). En otras palabras, los *dreadlocks* son, tanto moda o esnobismo, como un atributo expresivo esencial en los compromisos con Rastafari.

En las entrevistas o en los grupos de debates se expresaron criterios que explican el porqué de los *dreadlocks*. En muchos casos, para los de más serio compromiso, tiene que ver con la interpretación bíblica y los principios esenciales de Rastafari (paz, amor y respeto por la naturaleza humana); en otros casos, con una simple actitud ante la vida que se transmite de un individuo a

[85] Estas tres explicaciones para un mismo fenómeno aparecen ampliamente desarrolladas en Campbell (1985:95-98), en Chevannes (1995:152-70) y en Homiak (1998) respectivamente.

otro por proselitismo, esnobismo u otras formas de difusión. Por ejemplo, una joven, con una hija de cuatro años de edad entonces, me contaba que ella y su esposo, ambos con una filiación religiosa indiscutible, habían decidido dejarle crecer el pelo a la niña porque al año de edad "ya lloraba cuando la peinaban porque

Rastafari se transmite también de una generación a otra aunque, al crecer, los simpatizantes quedan siempre expuestos al dinamismo y los procesos de cambio dentro de esta cultura.

no veía a los padres peinarse. Los *dreadlocks* eran para nosotros antes una imitación de Bob Marley; ahora son la coronación de la Reina Omega [sic] y del Rey Rastafari".[86] Para otros, no basta con ponerse la "corona", una vez puesta, hay que, consecuentemente, consagrarla a buenas acciones durante la vida, con "aceite aromático de cálamo y *ganja*", afirmaba en otro momento el Rasta nro. 8, mientras un grupo de personas discutíamos en un debate sobre los *dreadlocks* el mismo día que esperábamos en el ICAIC la presentación del documental *Mística natural*, sobre el Rasta cubano, de Tamara de Armas, estudiante de la EICTV de San Antonio de los Baños.

Las opiniones sobre el simbolismo de los *dreadlocks* entre los Rastas cubanos son tan diversas que vale la pena ver otras:

> Rastafari para nosotros es la única forma de vida que hace al hombre sentir que pertenece a la creación, que pertenece a la naturaleza, porque es cabeza creadora y parte de dicha creación. Nuestra forma de vivir, nuestra forma de vestir son esfuerzos que nosotros hacemos para acercarnos lo más posible a la creación y a lo natural, ya que se pueden hacer guerras y ejércitos, lo que se quiera, contra muchos fenómenos, contra la enfermedad. Sin embargo, contra lo natural no se puede hacer nada. Muchos nos afeitamos, pero el pelo vuelve a salir; nos pelamos, el pelo vuelve a salir. La naturaleza es la que manda.[87]

Vuelvo a citar aquella conversación en el Callejón de los Perros por la relación directa que establece entre los *dreadlocks* y la "conversión", que sugiere además algo de epifanía:

> Bueno, yo me hice Rasta porque ya conocía la doctrina, conocía la doctrina, conocía el camino, conocía la filosofía. Había estudiado mucho la *Biblia*; es lo fundamental, a mí me gusta mucho, me da conocimiento, pero, por problemas de trabajo y eso, no me había echado la drela; pero,

[86] Rasta nro. 7 en entrevista el 11 de noviembre de 1998.
[87] Ariston Lyte en el panel en la Casa de la Cultura de Plaza el 6 de febrero de 1999.

bueno, ya dejé de trabajar en gastronomía y tuve la oportunidad de tirarme la drela. El Jah me dijo que tenía que ponerme la drela ya, me dijo que tenía que ponerme la corona... y me la puse. Yo soy una persona que me siento muy orgulloso de mi drela. Ahora estoy trabajando en monumentos, soy restaurador de la ciudad; trabajo en el casco histórico.[88]

Otro de los símbolos característicos importantes de este sistema en Cuba es el vocabulario rasta denominado *dread talk* (DT), cuyo origen, durante los años cincuenta en Jamaica, estuvo asociado a la gran migración previa de jóvenes pobres procedentes de zonas rurales hacia las zonas urbanas, sobre todo hacia la capital. Era una nueva generación de simpatizantes y practicantes de Rastafari que poco a poco introdujeron nuevas ideas y costumbres para marcar la diferencia con respecto a los más "viejos" Rastas, quienes desde la década de los treinta habían instituido la "nueva religión". Los viejos hábitos entraron en contradicción con la nueva generación; los mismos que iniciaron el uso de los *dreadlocks* también empezaron a distinguirse por la forma de hablar. Eran ellos los miembros de grupos como los Youth Black Faith y los Higes Knots. Desde finales de los sesenta, el DT se extiende también por la importancia y difusión crecientes de la música popular; el clímax de este proceso fue la fusión del emergente reggae con Rastafari en medio de un contexto social que permitió al DT "conformarse a sí mismo más allá de los límites de un grupo social" (Pollard, 2000:19), como expansión léxica dentro del creole jamaicano o *patwa* y como símbolo de la cultura Rasta que comenzaba a difundirse mundialmente. Lo interesante de esto, en el caso cubano, está en las similares características que la variante cubana presenta con la jamaicana, a pesar del muy corto proceso de surgimiento del vocabulario Rasta en Cuba y de las diferencias de los contextos lingüísticos hispanoparlante y angloparlante de Cuba y Jamaica respectivamente.

[88] Rasta nro. 10 en el Callejón de los Perros, Santiago de Cuba, el 6 de febrero de 2000.

El vocabulario se convierte en un símbolo una vez que el Rasta adopta, por reproducción imitativa o esnobismo, una forma de expresión típica, para contribuir a conformar una identidad individual o de grupo y diferenciarse del *otro*. Además, cada expresión creada, traducida o importada tiene, en el nuevo contexto, un significado que debe ser decodificado. Este vocabulario adquiere más importancia simbólica cuando trasciende los límites imaginarios de un grupo de Rastas y llega a otros miembros del contexto social marginal circundante simpatizante con los Rastas.

Durante los cientos de horas de conversaciones y convivencia con algunos, se apreció claramente, por ejemplo, cómo otras personas, no Rastas pero pertenecientes al mismo contexto social o familiar, se apropian del DT para la comunicación. Así, palabras como "drela" y otras adquieren nuevos significados según donde se usen, pero siempre se asocian al vocabulario rasta. Drela (distorsión fonética de *dreadlocks*) se usa a veces despectivamente: a aquellos que solamente se dejan crecer el pelo sin la interpretación consciente de su verdadero significado, se les llama "drelas". Pero la misma palabra pierde su connotación negativa una vez que se usa para denominar el cabello trenzado que los Rastas de filiación religiosa o filosófica utilizan sagrada o conscientemente. Esto se aprecia claramente en el ejemplo citado antes del joven obrero santiaguero. Algo similar sucede con *Jah man*, literalmente 'Hombre de Dios': la voz "llama", distorsión fonética de la anterior, se utiliza a veces entre los jóvenes simpatizantes no Rastas con su sentido literal y real dentro del DT, pero, otras veces, cambia su significado, y la usan para sustituir a las de socio o amigo Rasta dentro del mismo grupo social. Al final del libro aparece un glosario donde se puede apreciar la riqueza de este lenguaje.

El conjunto tricolor (rojo, amarillo y verde) es otro de los símbolos de uso generalizado. Es una de aquellas expresiones culturales materiales o espirituales inherentes a la cultura Rasta que ha trascendido a la sociedad en general. Para los Rastas, son los colores de la mayoría de las banderas africanas, en estas significan el color de la sangre, las riquezas y la naturaleza. Están muy presentes en la confección de objetos diversos (collares, bolsos, cintos, etcétera) y de esta manera son, conjuntamente con el reggae, los primeros signos de la cultura Rastafari asumidos por algunos jóvenes y que llegan a la sociedad en general.

En Cuba, también existen las celebraciones en fechas históricas determinadas, estas constituyen momentos de identificación, aunque solamente para los más ortodoxos. Las fechas más marcadas en Cuba son el 6 de febrero —aniversario de Robert Nesta (*Bob*) Marley— y el 2 de noviembre —aniversario de la coronación de Ras Tafari Makonnen como Haile Selassie I—; en otras partes del mundo se celebran otras como el natalicio de Selassie, el de Marcus Garvey, la emancipación de la esclavitud en Jamaica y la victoria del ejército etiope sobre los invasores italianos en la Batalla de Aduwa el 2 de marzo de 1896.

Igualmente para un grupo más reducido de practicantes existe una suerte de "hermandad espiritual", una unidad alrededor de ideas como "*Peace and Love*" o "*One Love*", que los identifica. Estos eslóganes son reminiscencias del lema de la UNIA "*One God, one aim, one destiny!*", que muchos internacionalmente adoptaron como propio. En Cuba, como en otras partes del mundo, una de las expresiones más comunes de esta afinidad es el saludo, el choque frontal de los puños derechos cerrados. No todos lo practican con cualquier persona, a menos que exista una plena identificación entre sí. Además, existen otros símbolos generalizados, aunque sus significados e imágenes son dominados por los Rastas más conscientes a partir de la imitación o reproducción de patrones foráneos, entre ellos el fuego como señal de lucha contra aspectos inaceptables o reprobables; el león, animal de vida silvestre en África, que simboliza la superioridad, autoridad y dominio y cuya melena se corresponde con la apariencia física de los *dreadlocks* tejidos naturalmente, y el puño como símbolo de fraternidad y unidad. Por ejemplo, Manolo, con un apellido que refleja su ascendencia anglocaribeña, le atribuye al puño un significado de lucha, de unidad y fuerza. Es también "el puño de saludarse", dice. "Significa unión de corazón también a pesar de que otras personas tengan otros conceptos del puño".

Otros elementos son menos significativos desde el punto de vista de su presencia generalizada en el Rastafari cubano. Entre estos se encuentran la dieta estrictamente vegetariana llamada "Ital". Mientras algunos la llevan con fidelidad, otros confiesan que "ser vegetariano en Cuba en muy difícil". En general, entre los Rastas no existe un consenso sobre qué es ser vegetariano; mientras algunos lo limitan sólo a la ausencia de carnes rojas, otros ni siquiera aceptan el huevo ni el pescado. Mucho menos existe consenso en cuanto al uso de la *Cannabis sativa* o "ganja", que por lo general los Rastas más ortodoxos internacionalmente consideran sagrado y medicinal. Lo que existe en Cuba en cuanto a esto es una conciencia de las severas leyes antidrogas que sancionan la posesión, el tráfico y, más recientemente, el consumo, y que han hecho de la utilización de la "yerba" un acto casi imposible e impensable en nuestra sociedad. Aún así una minoría considera su uso un acto sagrado y saludable ya que proviene de la naturaleza. Este aspecto y sus prejuicios negativos han redefinido al Rastafari en Cuba a diferencia del contexto regional; mientras en Jamaica y otras partes del mundo ser un Rasta implica entre otras cosas que unos reconozcan abiertamente el uso de esta planta por sus poderes medicinales y sagrados, en Cuba otros admitieron reiteradamente en los años del trabajo de campo "que no la han probado nunca". De ello se infiere que en nuestro país no es esencial darle importancia al simbolismo de esa "yerba" para considerarse un Rasta. Lo que sí puede afirmarse es que, tanto la comida vegetariana, como la sacralización de esa polémica planta, tienen mucho que ver con las ideas del respeto a la naturaleza y la vida animal en esta cosmovisión, con la no intervención del hombre en los procesos naturales a través de la transformación de la naturaleza con procedimientos químicos e industriales. Es la contrapartida del bábilon —discutido anteriormente— que para los Rastas es, en pocas palabras, la intervención del hombre en la naturaleza con sus acciones y sus ideas.

¿Quién es un Rasta en Cuba?

La respuesta a esta pregunta depende de cómo se interpretan las diversas formas de expresión de esa identidad, de los símbolos y atributos que la caracterizan, ya que, como se expresó antes, no existe un tipo, sino diversos tipos de Rastafari que se complementan unos a otros y coexisten muchas veces en un mismo espacio. Esta diversidad depende del nivel de conocimiento de las raíces y la esencia de esta cultura y el grado de compromiso que cada individuo establece con este modo de vida, con esta ideología. Durante la investigación se tomó en cuenta que un Rasta es todo aquel que haga explícito un nivel de compromiso mínimo con el uso y el significado de algunos de los símbolos que caracterizan a esta cultura. Más específicamente, pienso que el Rasta es quien se apropia de la simbología inherente, o sea, "es aquel para quien la constelación de símbolos evoca un marco de referencia primordial" (Johnson-Hill, 1995:9), a pesar de que esta referencialidad no se aprecia de manera uniforme en todos lo que se autodenominan Rastas.

Como Rastafari no es en el contexto cubano únicamente una religión *per se*, el Rasta no se *convierte* o *se inicia*, como sucede en la santería o en otras religiones, sino que manifiesta ideas que se desarrollan, conscientemente y en un proceso largo, a partir de la interacción con la realidad. Uno de los intereses en las entrevistas o la observación participante en los grupos de debate era buscar precisamente ese inexacto momento en que el individuo se siente ya un Rasta. Algunos de los Rastas cubanos expresaron ideas que recuerdan la respuesta a esta inquietud dada por Bob Marley en una entrevista: "He sido un Rasta desde siempre… no se trata de cuánto tiempo hace que soy Rasta, sino de cuánto tiempo demora en crecer".[89] Félix Pablo, por ejemplo, me respondió algo similar:

> Fue un proceso largo. Yo no sabía nada de eso entonces. Usaba un *spendrum* sin peinarme y me decían que estaba

[89] "*I've been a Rasta ever since… it's not how long I've been a Rasta, but how long it takes to grow up*" en el documental *Bob Marley and the Wailers. The Bob Marley Story*: BBC/Island Visual Arts Ltd, 1986.

> loco allá por el 83 o el 84. Me documenté, busqué información sobre qué cosa y cómo era Rasta... sin tratar de imitar porque Rasta en Cuba es cubano a pesar de tener raíces con África... Poco a poco me di cuenta de lo que aprendí y de lo que soy hoy.[90]

Otro, Manolo, uno de los pocos que reconocieron orgullosamente ser descendientes de anglocaribeños, comentó que un

> Rasta es todo ser humano, lo que pasa es que muchos no se dan cuenta. Tener *dreadlocks* por mucho tiempo no le garantiza a nadie ser un Rasta, y de lo que yo sí estoy seguro es de que estoy buscando los caminos de la verdad, de que no me voy a quitar esta imagen porque me gusta [...] Puede ser que pase algo y me corte el cabello, pero del conocimiento sí estoy seguro.[91]

En términos más sencillos, otro expresó así: "Para ser Rasta no hace falta tener drelos ni usar símbolos ni nada de eso. Buscando la paz y sintiéndote positivo ya tú eres una persona que eres Rasta".[92]

Entonces, para determinar quién es un Rasta desde este punto de vista —cuando se trata de asumir una identificación con un conjunto de símbolos, con sus significados y hacer conciencia de ello—, conviene agrupar los tipos de Rastas. Ellos reconocen que no todos asumen Rastafari de la misma manera:

> La religión va creciendo todos los días más. Un día tras día, va creciendo más fuerte, pero en mí que la vivo, en Ariel que la vive, en gente que ha sufrido desde el principio, ¿me entiendes? No es lo mismo uno que diga ahora: "Yo soy Rasta porque tengo drelos y escucho reggae". Sé el significado de la canción, qué me esta diciendo pero de

[90] De la conversación con Félix Pablo el 12 de abril de 2001.

[91] De la conversación con Manolo de Jesús, el 20 de mayo de 1998.

[92] Rasta nro. 3 en el grupo de debate durante la inauguración de la expo de pintura de Ras Iriel. Hotel Ambos Mundos, 2 de mayo de 2002.

qué te sirve, dale, verme en la calle y decirme "llama", "brode" y esto y lo otro y todo es falso [...][93]

De aquí se desprende que algunos son "verdaderos" y otros "falsos". Los elementos de esta clasificación se denominan filiaciones y se determinaron cuatro, a saber: religiosa, filosófica, esnobista, y "drela".[94] Estas conductas son el resultado de la adaptación a las necesidades locales de una cultura importada del contexto global y regional caribeño.

La filiación *religiosa* caracteriza a aquellos que son fieles y consecuentes con las ideas del respeto por la naturaleza, el antimaterialismo, la justicia, el humanismo; algunos asumen la divinidad de Haile Selassie I, al menos en los inicios; se comprometen seriamente con las doctrinas (excepto el deseo de la repatriación física, que ningún Rasta de la muestra expresó), con los símbolos, atributos y modo de vida, que respetan incondicionalmente. La mayoría son hombres, que, al formar familias, educan a sus hijos, desde pequeños, en la fe en el Jah. La filiación *filosófica* define a aquellos que son consecuentes con las mismas ideas de paz, amor, justicia, libertad, etcétera pero sin llegar a aceptar la divinidad de Selassie. La visión de Rastafari para ellos es muy abarcadora; por lo general, combinan convenientemente elementos de otras corrientes filosóficas y religiones como el catolicismo, la masonería, las religiones de origen africano, el orientalismo, para satisfacer sus necesidades espirituales. Con ello llegan a crear un estilo de vida propio, individual, identificándose siempre como Rastas. La identificación orgullosa con las raíces africanas adquiere aquí especial importancia, al igual que para los religiosos. La simbología y la ideología son la base de su actividad creadora en las artes visuales y la música fundamentalmente. Los *esnobistas* asumen de la cultura Rastafari algunos aspectos materiales y espirituales a conveniencia; para ellos es una moda o estilo de vida. En algunos, ha sido como un puente para llegar a una postura

[93] Ibíd. Rasta nro. 4

[94] Esta última filiación la denomino así para usar el mismo término del vocabulario rasta cubano.

filosófica o religiosa a medida que aumenta su conocimiento y conciencia. Los atributos, no tanto los símbolos, son esenciales en una actitud de identificación y diferenciación (García y Baeza, 1996:26) con respecto a la sociedad en general, aunque expresan especial simpatía por el reggae como único símbolo de importancia. Por último, para el *drela* el único compromiso con la cultura Rastafari es el de la explotación de su imagen para su satisfacción material; es el real "falso Rasta" que ha involucionado por los "caminos negativos" y "mancha la imagen de los demás". Se ha insertado en la industria del turismo como objeto de consumo que atrae a turistas femeninas en busca del ideal exótico del hombre natural; los *dreadlocks* constituyen su único atributo de importancia.

Esta clasificación pretende identificar, tanto los aspectos diversos, como las regularidades, de un todo heterogéneo denominado "Rastafari en el contexto cubano". La filiación religiosa y los drelas conforman dos extremos entre los cuales se insertan un conjunto de prácticas culturales alternativas, cuyo rasgo común es el ser un intento de proyección social, aunque con disímiles manifestaciones. Otro aspecto invariable a estas cuatro filiaciones es el carácter marginal, explicado en el capítulo anterior, que tiene este proceso intercultural.

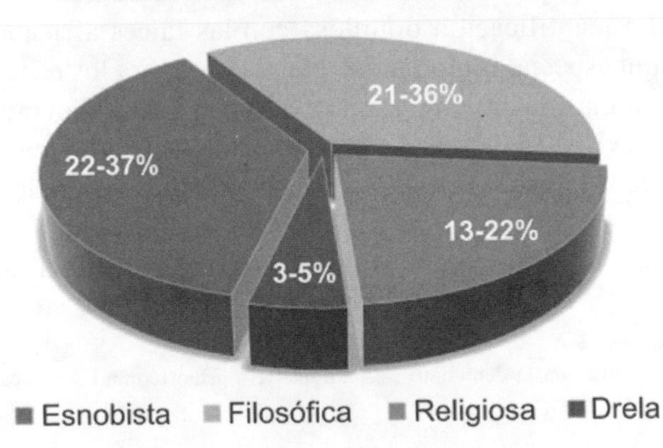

En resumen, dada la importancia que otorgo a los símbolos esenciales de esta expresión cultural, mi interés en esta breve caracterización ha sido distinguir entre el consumismo y el simbolismo como dos variables que contribuyen a definir quién es Rasta y qué tipo de tendencia o expresión cultural alternativa puede clasificarse como tal en un momento o circunstancias determinados. En la siguiente tabla, se aprecian estas variables en tres planos: las filiaciones, la identidad y la ideología.

	Consumismo	**Simbolismo**
Filiaciones	Drela o el llamado Rasta "jinetero".	Las otras tres filiaciones (el llamado "verdadero" Rasta).
Identidad	El esnobismo y la moda; las tendencias más dinámicas; Rastafari convenientemente asumido como un estilo de vida.	Identidad cultural conscientemente asumida, más estable; Rastafari asumido como una cultura, una filosofía o un sentido de la vida.
Ideología	Conformismo, tolerancia; no busca oponerse a una cultura dominante sino insertarse en ella y "seguir la corriente" hacia lo popular.	Resistencia, trasgresión; busca mecanismos de defensa consecuentes con la identidad asumida.

El reggae en Cuba: una mirada sociocultural

Yo puedo cantar lo que quieras que cante
Yo puedo decir lo que quieras oír
Soy yo el que no quiero, no debo y lo niego
Eso es un juego y yo no vengo a jugar
Yo no puedo.

De la canción "No juego",
de Felipe Cárdenas Almagro

El reggae tiene fuertes vínculos con África, su historia, su cultura y sus pueblos, y con la cultura popular jamaicana, donde germinó. Nació del poder creador de los negros en las áreas urbanas de la Isla y los ghettos suburbanos de Kingston, quienes utilizaron la música popular tradicional de los sesenta, con la huella del sur de los Estados Unidos —el *blues* y el *soul*—. Por ello el proceso emergente del reggae no puede ser tratado al margen de las diferencias de clase y de raza en las relaciones sociales del gran Caribe.

En Cuba, los africanos nativos y descendientes dejaron igualmente su impronta en la cultura popular pero más mezclada con elementos culturales españoles y de otras regiones, a diferencia de Jamaica, donde el colonialismo inglés tuvo características distintas, fue dominante por más tiempo y la nacionalidad se desarrolló más tardíamente. Por nuestras conexiones interculturales, históricas y geográficas con el Caribe, el reggae no es un elemento cultural meramente extranjero. Cuba es parte del Caribe y existe una música caribeña, o sea, el Caribe es una *región musical* de la que tanto la rumba como el reggae son partes (Bilby, 1985).

Por otra parte, la diversidad cultural caribeña continúa generando interesantes híbridos en el contexto de la homogenización producida por las conexiones interculturales y la globalización; la llamada "música del mundo" es una de las consecuencias de ese proceso de hibridación. Aunque en Cuba existe una corriente dominante en la cultura, allí donde se identifica la cubanía en la combinación de elementos étnicos, lingüísticos, sociales, religiosos, musicales y otros, en el país se aprecia además un dinamismo y una diversidad abiertos a múltiples influencias culturales externas inevitables; esa tendencia favorece el hecho de que nuestra cultura sea de naturaleza inclusiva, en lugar de monolítica o restrictiva. Prueba de ello es que lo habitualmente llamado "música popular cubana"[95] hace unos cincuenta años, es ahora un fenómeno mucho más amplio, más diverso, más intercultural, que no puede ocultar influencias internacionales contemporáneas resultantes de la fusión.

Con estas consideraciones, que introducen el reggae como música de la región, aclaro que no pretendo abordar este proceso ni el análisis temático posterior desde la musicología, sino en línea con las consideraciones socioculturales abordadas inicialmente. No obstante, hay un elemento terminológico esencial cuando se habla de reggae. El reggae es música, se cultiva en Cuba, y como tal uno de los debates entre los especialistas gira en torno a considerarlo en Cuba un género o un estilo, entre otros criterios.

Pero como el reggae es también un fenómeno social, en un acercamiento preliminar a este tema, tanto en Cuba como en Jamaica, es evidente que la naturaleza sociocultural del proceso en cuestión y las dinámicas sociales e históricas, más que los elementos musicales *per se* en el origen del reggae, son las que establecen las relaciones entre la cultura Rastafari y el contenido ideológico de los textos y las que garantizan la continuidad de la existencia del reggae (Constant, 1982; Brodber y Green, 1988; Chang y Chen, 1998; entre otros). Además, si bien puede decirse que el reggae ha sido una de las más significativas contribuciones del Caribe al mundo, y que es actualmente representativo de

[95] Éste es en sí un concepto polémico, resbaladizo y escabroso entre los musicólogos. Sin embargo, para determinar los límites de lo que este vasto territorio puede abarcar, tomo el criterio expuesto en el *Atlas Etnográfico de Cuba*: todos los llamados géneros y estilos del son (changüí, sucusucu, chachachá, son, etcétera), de la rumba (columbia, yambú, etcétera) y de otros géneros y sus estilos independientes como el punto cubano, la canción popular tradicional (trova) y la música carnavalesca (congas y otros).

la evolución de la cultura Rastafari a nivel global, es fundamental advertir que ésta surgió casi cuatro décadas antes y no todo reggae es representativo de Rastafari.

Según Danilo Orozco, el uso de los términos "género" y "estilo" está sujeto a los dinamismos de la globalización cultural, de las intersecciones transnacionales que provocan cada vez más fusión y dificultan las conceptualizaciones.

> No todas las manifestaciones y géneros (ni todos los grupos humanos) reflejan este devenir con la misma intensidad y movilidad ya que ello dependería [...] de las condicionantes concretas del contexto, de las posibilidades de inserción en un flujo circundante, [de] las incidencias etno-socio-sicoculturales y, claro está, propiamente musicales convergentes... a través del aporte que han vertido los creadores y participantes dentro del marco contextual en sus inserciones. (Orozco, 2001:6).

En otras palabras, los creadores y participantes (o sea, el factor sociocultural humano, quienes lo acogen y lo cultivan) influyen en el estatus de género o estilo dentro de un contexto cultural dado. Para nosotros es incuestionable que el reggae en el Caribe es un género musical consolidado, símbolo de la nación jamaicana; sin embargo, como se ha globalizado comercialmente, quizás no llega tanto a consolidarse como un género en aquellos espacios donde hay diferentes procesos sociales, históricos y culturales y existe una menor incidencia del factor sociocultural, un número proporcionalmente pequeño de seguidores. Por otra parte, María Teresa Linares ha hecho disticiones muy específicas entre género y estilo en la música popular, dando más énfasis al factor generacional en el arraigo de una forma de expresión musical. Hablando del rap en nuestro país, música también "importada" igual que el reggae, afirmó que

> es un estilo, para que sea un género tiene que reafirmarse y eso no es sólo un proceso cultural sino social. Una música se arraiga definitivamente cuando ya establece una tradición entre los grupos jóvenes de una misma generación o en grupos de un sector social. Estos valores se arraigan cuando

> pasan por lo menos a dos generaciones que los interiorizan perfectamente.
>
> [...]
>
> El día que [los] modelos y códigos [que genere ese proceso] tengan una respuesta generacional amplia, es entonces cuando será un género consolidado. (Linares, 2004:14).

Consciente de la polémica que se genera en la musicología cubana actual alrededor de estos términos, considero el reggae que se hace en Cuba simplemente como la expresión musical del Rastafari cubano, lo cual enfatiza la relación entre las características de la cultura Rasta y los mensajes del texto del reggae. Vale retomar la idea de que todo reggae no es representativo de la cultura Rasta pero Rastafari siempre sugiere el vínculo con esta manifestación musical. Por lo tanto, no me detengo más en precisiones conceptuales que lo clasifican como género o estilo musical. Lo importante es que lo que se importa en un contexto cultural dado —el reggae en este caso— es no sólo una forma de expresión musical apropiada por un grupo o sector social, sino el *símbolo musical de una nación* y una de las cartas de presentación del Caribe, como la soca del Caribe insular angloparlante, el calipso de Trinidad y Tobago, el zouk del Caribe insular francoparlante (Martinica y Guadalupe principalmente), el son cubano o el merengue dominicano.

Los diccionarios por lo general contienen definiciones muy amplias y poco operativas. Por ejemplo, según el *Merriam-Webster* (2003), es "una música de origen jamaicano que combina estilos nativos con elementos de rock y soul". Para el *Oxford Dictionary of Caribbean English* (Diccionario de Inglés Caribeño de Oxford), es "un tipo de música bailable con un ritmo de cadencia estable."[96] Por consiguiente, el reggae como todo fenómeno sociocultural no puede explicarse sólo a partir de los

[96] Trad. del autor. En el Merriam-Webster se lee "*popular music of Jamaican origin that combines native styles with elements of rock and soul music*". En el *Oxford Dictionary of Caribbean English* se lee "*a kind of dance music with a steady heartbeat type of rhythm...*" La palabra "reggae", con esta ortografía universalmente aceptada,

diccionarios, aún para los no entendidos en la música. Para definirlo, es más conveniente alejarse de los aspectos meramente musicales, como los autores Kevin Chang y Wayne Chen, quienes priorizan el simbolismo y la funcionalidad social del reggae al afirmar que es "una música creada por los jamaicanos para satisfacer sus necesidades espirituales y emocionales. Los estilos y las tendencias varían pero esta definición permanece incuestionable" (Chang y Chen, 1998:2). Es con estas características que se ha propagado por el mundo como parte del sistema cultural Rasta-reggae, acompañando "necesidades espirituales y emocionales", *i. e.*, componentes de la cultura popular. Precisamente como símbolo, algunos autores ven en el reggae dos niveles de funcionalidad: el hecho inmediato de lo popular tradicional y la historia sociocultural jamaicana, y un objeto clave de la comercialización capitalista en el mundo de la música y el espectáculo (Constant, 1982:22). Pero esta opinión amplía el concepto de reggae más allá de lo necesario para nuestro país, donde no ha llegado a ser un factor altamente comercializable. Por ello me parece muy apropiada la definición de Chang y Chen.

Es necesario explicar, asimismo, que internacionalmente existe más de un tipo de reggae. En el contexto sociocultural cubano, donde su indiscutible presencia aún es poco explorada, las posibles fronteras entre un tipo y otro tienden a perderse, sobre todo cuando su alcance llega más allá de los grupos de Rastas. Por tal razón utilizo una clasificación basada en dos criterios fundamentales y universalmente generalizada (Reckord, 1982; Bilby, 1995; Potash, 1997; Chang y Chen, 1998):

La evolución y función sociales: Debido al proceso de socialización antes y después de la asociación con la cultura Rastafari, la música reggae ha servido a los intereses festivos, críticos, espirituales de diferentes grupos, Rastas y no Rastas indistintamente. Según esto existen distintos tipos de reggae.

no aparece en muchos diccionarios en lengua española anteriores al años 2000, por ejemplo, el *Diccionario de la Real Academia* (Edición electrónica, 1995) o en el *Diccionario Básico de la Lengua* (SGEL, 1987) o en *Diccionario Cervantes* (Editorial Pueblo y Educación).

El proceso socio-histórico y diacrónico: La música popular jamaica a partir de la década de los sesenta tiene etapas determinadas, fácilmente identificables y con características socioculturales comunes (el acervo popular tradicional en que se crea y se disfruta la música).[97]

Sobre esta base, los autores mencionados coinciden —con ligeras variaciones en fechas de una periodización y en algunos nombres— en la siguiente clasificación, basada en las características del reggae jamaicano, en la función social de cada tipo y en la naturaleza de sus textos:

el *roots reggae* (reggae de las raíces o *conscious reggae*): con versos poderosos por aprehensión de las raíces africanas del esclavizado, marginado, Rasta negro; por la naturaleza contestataria y la capacidad de resistencia; por el rechazo a la situación política y el contexto social adversos, y por textos que transmiten un mensaje de optimismo, paz y amor en el sentido amplio de la palabra en consecuencia con similares aspectos de la ideología Rastafari y, por tanto, van dirigidos a un público más amplio;

el *raggamuffin*: más comercial y tolerante ante las influencias del mercado, menos comprometido en sus textos pero sin caer en la banalidad o vulgaridad;

el *dancehall*: una variante que adopta a veces un discurso banal (*slackness* (Cooper, 1995 y 2004)) que apela solamente al bailador, o más bien a la bailadora, y que da un amplio espacio a los temas vulgares; otras veces se presenta con un lenguaje más comprometido en el mensaje de sus textos con el proceso sociocultural que lo originó, a veces festivo y a veces violento y agresivo, al estilo de Sizzla, Anthony B y otros tantos *DJs* jamaicanos tan populares. En algunas naciones del Caribe insular (Trinidad y Tobago, por ejemplo), los jóvenes le denominan también *conscious music*. Esta forma tiene relación

[97] De estas consideraciones se deriva la periodización en la historia del reggae que abarca el *mento*, el *ska*, el *rocksteady*, el *roots*, el *dub*, el *dancehall*, el *ragga* o *raggamuffin*.

con el rap y con el "reggaetón"[98] en el Caribe hispano a partir de procesos de cambio más actuales;

el reggae melodioso (*lover's rock*, *cool reggae* o *rub-a-dub style*) al estilo de Gregory Isaacs, quizás el más conocido de este tipo entre los cubanos, que por sus textos sobre la cotidianidad no clasifica en ninguna de las categorías anteriores; esta variante presenta generalmente canciones románticas o festivas y textos con versiones de otros famosos éxitos de canciones jamaicanas o internacionales, incluso cubanas como la mundialmente famosa "Guajira Guantanamera", o el "Chan chan", de Compay Segundo.

Además, existen los toques de tambores *nyabinghi*. Esas ejecuciones musicales, ceremoniales forman parte inseparable del sistema cultural Rasta-reggae. Separarlos del análisis temático del reggae es como cercenar una unidad temática bien definida. Los textos de estos toques tienen un profundo significado espiritual y se utilizan en ceremonias o en los momentos de meditación. Casi todos los Rastas más ortodoxos, los religiosos o los intérpretes los utilizan, ya sea en su vida espiritual o en las actuaciones en público de los grupos musicales. En el caso cubano, se aprecia más esta variante en los Rastas más comprometidos con el *roots reggae*, quienes lo utilizan ampliamente, incluso tocan tambores de su propia manufactura a partir de troncos de palma real. A veces, canciones como "Rastaman Chant", creada y difundida

[98] La ortografía de esta palabra se basa en una combinación de la pronunciación en español y la ortografía original en inglés de la palabra *reggae*. Se le llama así por la incorrecta pronunciación entre los *DJ* puertorriqueños de "Reggaethon", forma abreviada de "Reggae maratón" (Meschino, 2005:53). El origen de este estilo del reggae radica en una mezcla del hip-hop con el *dancehall* jamaicano y el sabor latino del *underground* en San Juan desde antes de los noventa, pero a mediados de esa década adopta el nombre actual cuando comienza a desvanecerse el carácter alternativo, no oficial, marginal de sus inicios. Salvo dos excepciones: Candyman y Cubanitos 2002, no se tiene en cuenta aquí por diversas razones: primero, no es una música hecha por los Rastas ni por sus simpatizantes; segundo, los grupos de reggae han rechazado incluir el reggaetón en su repertorio; tercero, en Cuba se ha desarrollado como un fenómeno ajeno a la cultura Rastafari, y, por último, no forma parte de la dinámica entre lo trasgresor y lo popular (ver capítulo siguiente) ya que la intención inicial es sólo la comercialización.

por Bob Marley con el uso exclusivo de estos tambores a partir de un canto original rastafariano, también tienen sus versiones en Cuba, ejecutadas con sorprendente facilidad por bandas cubanas como Hijos de Israel e Insurrectos. Sus integrantes testimoniaron en más de una ocasión haber aprendido a confeccionar y a utilizar sus propios tambores a partir de lecturas, documentales, fotos, videos y el intercambio con otros hermanos.

Roots reggae, *ragamuffin*, *dancehall*, reggae melodioso y *nyabinghi* son todos partes integrantes del reggae como concepto amplio según la definición antes citada (Chang y Chen, 1998:2). La profesora Verena Reckord usa apropiadamente el término generalizador "música Rasta" (Murrel, Spencer y McFarlane, 1998:240-242), que sugiere que estas formas musicales del reggae pueden ser parte del mismo sistema Rasta-reggae si se cumple la condición de que el centro o característica común sea la ideología Rastafari.

No todas estas variantes se desarrollan de la misma manera en Cuba, por ello, en este capítulo, me concentro casi exclusivamente en el que universalmente se identifica como *roots reggae* (el reggae de las raíces) como punto de partida, sin desechar los otros tipos.

En otras palabras, se trata aquí de un concepto ampliado del reggae, en el que la interacción de estas formas produce ejemplos interesantes cuyos mensajes nos remiten constantemente a las ideas y la simbología de la cultura Rastafari expuestas anteriormente.

El reggae está en Cuba

De los inicios y el presente

En Cuba, el reggae de las raíces apareció a mediados de la década de los setenta, después del rock, y desde entonces se ha mantenido evolucionando lentamente desde una posición de resistencia y marginalidad, a veces separado de la cultura Rastafari, hasta que otras variantes convocaran a grupos de jóvenes gradualmente más numerosos en los últimos quince años aproximadamente. Me refiero a un período que puede enmarcarse entre 1988, cuando Pablo Milanés dedicó un reggae a Nelson Mandela en su disco *Proposiciones*, y la actualidad, cuando por ejemplo Moneda Dura grabó su "Reggae" en el disco *Cuando duerme La Habana* en 2001, o cuando Yerbawena versionó "Lágrimas negras", de Miguel Matamoros, y la incluyó en su CD de producciones Abdala en el mismo año 2001.

Recuerdo haber escuchado al cantautor Pablo Milanés a propósito de la presentación del disco *Proposiciones* en el teatro Carlos Marx a fines de 1988 referir las razones por las que escogió el reggae como el ritmo de la canción "Nelson Mandela, sus dos amores". Aunque no puedo citar la fecha exacta de sus declaraciones, considero importante destacar la idea; comentaba Milanés en aquel momento que era un ritmo lo suficientemente fuerte para expresar el sentimiento de libertad. Ya entonces la existencia de los Rastas era notable en el país y el reggae se escuchaba bastante en algunas fiestas, pero distaban mucho de alcanzar la visibilidad que actualmente se aprecia a nivel nacional.

El período entre aquel momento impreciso de la década de los setenta y el año 1988, marcó el inicio del reggae en Cuba, en estrecha relación con la entrada de la ideología Rastafari que acogió esta música. Fue precisamente la música popular la que selló la unión entre reggae y Rastafari. Ambos viajaron juntos por todo el mundo desde principios de los años setenta, sobre todo en Inglaterra, donde desde 1972 "Stir it up", de Bob Marley, era un gran éxito; la mundialización del reggae comenzó a partir del siguiente año cuando The Wailers realizaron su primera gira por Inglaterra y los Estados Unidos para promover el disco *Catch a Fire* (White, 1998:232-253). La táctica comercial consistió en promocionarlo en Europa y América como un tipo de rock *negro*; el éxito fue tal que, entre otras consecuencias, el grupo se renombró Bob Marley and the Wailers, acorde con la estrategia de su productor. Pero desde poco antes, *circa* 1968, nacía la hermandad entre Rastafari y reggae con una unidad e integridad progresivamente crecientes desde que Mortimo Planno, legendaria y carismática figura rasta con un respetado liderazgo entre sus seguidores, introdujo a Bob Marley en la religión Rastafari. El reggae, tal como se popularizó a fines de los sesenta, fue una manera de expresión musical de la ideología Rastafari. No debemos olvidar que durante toda esa década, el reggae había estado en proceso de cocción con los ingredientes rastas desde que en 1961 la JBC (Jamaica Broadcasting Company) estrenó "Oh Carolina!", con la percusión del legendario Count Ossie y su grupo The Mystic Revelations of Rastafari, uno de los éxitos más conocidos de la música popular tradicional jamaicana; sólo a partir de entonces, con la música, lo que en ese momento podía llamarse un movimiento Rasta comenzó a ganar respeto y reconocimiento social. De modo que cuando los primeros discos o cassettes de reggae llegan a Cuba en la década de los setenta, el reggae era inseparable de la cultura Rastafari.

No obstante, la música en inglés en general no era entonces prioridad de los medios de difusión cultural cubanos. Las regulaciones y prohibiciones al respecto limitaban no sólo la música europea y norteamericana, sino también la caribeña en inglés.

Procesos colaterales: antecedentes y consecuencias

Hace algo más de una década (1994), el profesor Joe Pereira se refería a Panamá, Puerto Rico y otras sociedades latinoamericanos como las cunas del reggae en español. Entonces notó varios factores significativos en la difusión del reggae en la región: el papel de las comunidades latinas de Miami y Nueva York, muy influyentes por la alta incidencia de la lengua española en la comercialización de la música popular y el potencial financiero del mercado hispanocaribeño.[99] Cuba no figuraba en ese emergente

[99] Joe Pereira: "Translation or Transformation. Reggae goes Spanish", nov. 25, 1994. (Trascripción y traducción de grabación por el autor).

mercado hispano creado en Centroamérica y las comunidades latinas de los Estados Unidos por las industrias musicales en la década de los setenta.

Antes de abordar algunas características específicas de este proceso intercultural en Cuba, identifiquemos algunas elementos comunes a muchos países hispanocaribeños. En primer lugar, estas sociedades fueron el destino escogido por miles de migrantes anglocaribeños que buscaban empleo en los primeros años del siglo XX, sobre todo en Panamá durante la construcción del canal hasta 1914, y posteriormente en Cuba con el auge de la industria azucarera de capital estadounidense. La naturaleza endógena de la evolución generacional de estas comunidades de inmigrantes en Centroamérica (Puerto Limón, Colón, Bluefields, etcétera) facilitó la continuación de la tradición musical popular (*ska* y *rocksteady*) del Caribe anglófono, de manera que, cuando el reggae surgía y se difundía en la radio jamaicana desde fines de los años sesenta (1968) y durante los setenta, formó parte fácilmente de una hibridez cultural que se desarrollaba ininterrumpidamente en estas comunidades durante décadas. Sin embargo, debido a circunstancias históricas y culturales, la presencia de inmigrantes angloantillanos en Cuba no fue un factor clave en la introducción de la música popular jamaicana y la posterior asimilación del reggae en Cuba. El inmigrante jamaicano, y por extensión el antillano, vivió durante las primeras cuatro décadas del siglo XX en una sociedad diferente con respecto a las centroamericanas. En Cuba, estas comunidades mantuvieron igualmente una estructura social endógena, pero ésta reprodujo las tradiciones culturales, religiosas y educacionales, y cierto orgullo por ser "súbditos británicos". Además, muchos inmigrantes antillanos se acomodaron a la idea de "blanquear" su piel como respuesta a los muchos prejuicios que habían tomado auge en Cuba desde el siglo XIX. Un número significativo de la clase alta y media del país continuaba propagando un "miedo al negro" a pesar del gradual reconocimiento del aporte cultural africano en la cultura popular cubana (*e. g.*, la literatura, la música, el teatro). Estos antillanos eran "súbditos británicos", pero su condición racial (negros y negras), su clase social (braceros, mano de obra explotada y barata) les impidió ascender en la jerarquía clasista y racista dominante; en medio del proceso de integración, se "adaptaron a la esencia de ser y vivir como cubanos" (Gómez *et al.* 2005:2). Su integración fue significativa para la formación de la nación cubana. Por lo tanto, a diferencia del resto del Caribe hispano, el antillano en Cuba no pudo desempeñarse activamente durante la entrada del reggae en los años ochenta porque se había integrado socialmente a la nacionalidad cubana y había "congelado", preservado su cultura tradicional —la religión, el folklore y el idioma—. Cuando surge el reggae, era para ellos una música nueva, *distante* y de tan difícil acceso como para el resto de los cubanos. Sólo en la última década, algunas organizaciones de antillanos, como la Asociación Caribeña de Cuba y el Proyecto Afroanglo-caribeño de Santa Felicia, adoptan el reggae cultivado por los cubanos como un ejemplo de la cultura caribeña que ellos representan. He aquí una diferencia entre las dinámicas culturales entre las diásporas antillanas de Cuba y del resto del Caribe hispano, como en Colón, Panamá, donde el reggae fue acogido y cultivado por esas comunidades desde los primeros años.

La asimilación del reggae en el contexto hispanocaribeño no fue un proceso "unidireccional" (Pereira, 1994). Cantantes jamaicanos hicieron y aún hacen versiones en español de sus éxitos. Un ejemplo de ello es "Si Jah está al lado de me [sic]" de Patrick Barret (alias *Tony Rebel*). Rebel no sólo utiliza letras en español, sino que incorpora además un ritmo bailable con aires cubanos (algunos dirían "aires latinos"). En este sentido, tanto el idioma como la música latina ejemplifican la influencia hispanocaribeña en el escenario del reggae jamaicano.

Estos entrecruzamientos bidireccionales son más evidentes si tenemos en cuenta los vínculos políticos entre Jamaica y otros países de la región, sobre todo con Cuba y su reflejo en la música y en las relaciones culturales en general con los países del área.

En esa década de los setenta, algunos sucesos relacionados con la reinserción política de Cuba en el área del Caribe influyeron en el acercamiento cultural con la región. Barbados, Guyana,

Jamaica, y Trinidad y Tobago deciden establecer relaciones diplomáticas con Cuba el 4 de diciembre de 1972[100] como parte de un proceso que hoy tiene como resultado relaciones con todos los países de CARICOM y otros de la región. Era común escuchar canciones de comentario político-social que mencionaban, por ejemplo, la construcción de escuelas en Jamaica con la participación de trabajadores cubanos durante los años del gobierno progresista de Michael Manley, o la reacción popular cuando bajo el mandato de Edward Seaga "Jamaica rompió los lazos diplomáticos con Cuba en el año 1981 el vigésimo día de octubre", "nuestro vecino más cercano", "nuestra mayor hermana",[101] poco antes de la invasión estadounidense a la isla de Granada. Otro ejemplo de estos entrecruzamientos es la versión en reggae hecha por la banda Tierra Verde del famoso bolero popularizado por Benny Moré "Alma mía".

Partiendo de estos antecedentes, el origen y desarrollo del reggae en el contexto cubano, igualmente hispanoparlante, pero política y socialmente diferente al de los latinoamericanos de Nuestra América y de la diáspora, se lo atribuyo a tres grupos de causas.

En primer lugar, cuando el reggae había comenzado su difusión mundial, otras influencias extranjeras ganaban popularidad en los años sesenta y setenta. Asimismo, Cuba fue sede de numerosos y notables eventos culturales en Varadero (festivales anuales de música), en La Habana (Carifesta) y en Santiago de Cuba (Festival del Caribe, anualmente a partir de 1980) en los que se presentaron entonces numerosos artistas y grupos del Caribe como Yoruba Singers, Jimmy Cliff, Eddy Grant y varias *steel bands* entre otros; el reggae estuvo presente en el repertorio de estos artistas y, por lo tanto, junto a la presencia del jazz, el R&B, el funk y el rock, no fue una alternativa musical foránea aislada en esos años.

[100] Esta fecha marcó el período de ascenso de las relaciones con el Caribe hasta el momento actual. Éstas sufrieron una recaída poco antes y después de la invasión estadounidense a Granada.

[101] Badoo y King Tuby: "Diplomatic links" en el CD *The Sound of Channel One*: Channel One Studios (1999).

En segundo lugar, la "inmigración temporal" de estudiantes de Jamaica y otros países anglocaribeños después de 1972 —como resultado de miles de becas de entrenamiento y formación profesional que el Gobierno cubano ofreció a los países de la región— abrió nuevas puertas para la entrada del reggae directamente a grupos de jóvenes estudiantes y obreros cubanos, quienes poco a poco se identificarían con esa música, sus mensajes y sus portadores. Otro aspecto de esos acuerdos de colaboración, en este caso con Jamaica, fue el viaje de cientos de trabajadores cubanos de la construcción a dicha isla y la capacitación en Cuba de obreros jamaicanos a partir de inicios de 1976. En ese mismo año, en mayo, se anunció un acuerdo entre ambos países para la cooperación cultural y el intercambio de delegaciones artísticas y experiencias hasta 1977 (Manigat, 1977:22). Algunos Rastas que se iniciaron en aquellos años conocen bien esta historia:

> [...] muchos cubanos [fueron] a trabajar a Jamaica en la construcción y a su vez vinieron jamaicanos a recibir un curso anual de construcción, es decir, albañilería, carpintería, etcétera. Se establecieron fundamentalmente en Santiago de Cuba y aquí en Ciudad de La Habana, y todavía queda el espíritu —para muchos Rastas o para el que esté interesado (para mí es muy bonito porque yo lo viví)— en Barbacoa, provincia Ciudad de La Habana, donde todavía [1999] se encuentran los albergues, todavía se mantiene como una apelación espiritual o una vivencia en cuanto a que se mantienen los colores, se ha seguido pintando de verde, amarillo y rojo todos esos albergues donde estos jamaicanos estuvieron durante cinco años trabajando y aprendiendo. Esos jamaicanos tenían una procedencia muy humilde, de los barrios más malos de Jamaica, de los barrios con mayores problemas. Es decir, quien podía estar allí, podía estar en lo que se llama Jamaica de verdad, no en la burguesía jamaicana. Yo tuve la oportunidad de compartir con esta gente. Esos años fueron para mí una nueva forma de aprender, una nueva impresión ante los negros, diferentes negros, muy diferentes a los cubanos, a pesar de que

tenemos raíces muy parecidas, pero tenemos sistemas sociales muy diferentes y nos han llevado a cambiarnos de una forma u otra.[102]

Esos hombres y mujeres del Caribe que llegaban a Cuba trajeron consigo los primeros discos de larga duración (LP's) y cassettes, pero también tenían un determinado nivel de información sobre la cultura Rastafari en Jamaica y sus respectivos países. Los jóvenes cubanos en esas escuelas y albergues de la Isla de la Juventud, La Habana, Santa Clara, Cienfuegos y Santiago de Cuba, fundamentalmente, tenían acceso a estas primeras fuentes de música importada. Debido a la interacción social resultante, se escuchaba música caribeña en las actividades recreativas dentro de las escuelas y fuera de ellas. ¿De qué conversaban en esas horas, antes, durante o después de las clases o la jornada laboral? Definitivamente, hubo un intercambio cultural en el que ambas partes aprendieron algo nuevo y algunos cubanos no sólo disfrutaron el reggae, sino que aprendieron a escucharlo.

Otro tanto ocurría con los cubanos que regresaban de sus respectivas misiones de trabajo y colaboración en Jamaica y otros lugares del Caribe. Entre ellos están los funcionarios del MINREX que trabajaron en la embajada de Cuba en Jamaica entre 1975 y 1983; ellos fueron portadores de esa música y de esa cultura, aunque tenían diversos puntos de vista y distintos niveles de simpatía hacia este fenómeno.[103] El factor humano en la importación del reggae se complementa con el aporte de los marineros y otros cubanos que salían frecuentemente en funciones de trabajo al extranjero; ésta era otra fuente de entrada no sólo de música, sino de información gráfica y documental (recortes de prensa escrita, testimonios de vivencias, fotos, etcétera) sobre el reggae y la cultura Rastafari.

En tercer lugar, existió otra combinación de procesos paralelos y determinantes en la entrada del reggae y la cultura Rastafari

[102] Así la contaba Ras Iriel (Ariel), artista de la plástica, en su presentación durante el homenaje a Bob Marley en la Casa de la Cultura de Plaza el 6 de febrero de 1999.

[103] Tuve la posibilidad de conversar con Otto Marrero, Frank González, Ramón Preferro y Ulises Estrada; este último es el único cubano con quien he conversado que conoció e interactuó personalmente con Bob Marley, cuando era embajador en Jamaica en el año 1976.

a nuestro país, los cuales devinieron alternativas de arraigo y difusión ante la ausencia del reggae en los medios radiales y televisivos:

a) El turismo internacional que llegaba a Cuba, ocasionalmente con conocimiento e información de la posición del reggae en el mercado internacional de la música y traía consigo LP's y cassettes. Estas grabaciones quedaban por lo general en manos de jóvenes cubanos como recuerdos y copias maestras para cientos de reproducciones piratas. Por ejemplo, por esta vía fue que yo conocí en 1986 de la voz refrescante y femenina de Sophia George y su hit "Girlie Girlie", que contrastaba con la mayoritaria presencia masculina en la comercialización internacional del reggae. A partir de 1992, cuando nuestro país comenzó a reorientar su economía hacia el turismo y aumentó, por consiguiente, el número de visitantes, se multiplicaron las posibilidades de la entrada de reggae a Cuba por esta vía. Esto está directamente relacionado al *boom* del Rastafari y el reggae manufacturado en Cuba a mediados de esa década.
b) La posibilidad de sintonizar algunas estaciones de radio del Caribe (fundamentalmente desde Jamaica) en la parte oriental montañosa del país y desde la Florida en el noroeste cubano; esto constituyó una solución efectiva para quienes desde la temprana etapa de finales de los setenta se interesaban por el reggae y no podían obtenerlo de primera mano de los estudiantes extranjeros, turistas y otras personas (trabajadores, colaboradores, diplomáticos, etcétera) que regresaban del extranjero. Las recepciones de radio eran una forma encubierta pero directa de contacto con el mundo del reggae. Las grabaciones hechas de estas recepciones clandestinas se escuchaban en los "bonches" —lo que denota el carácter festivo— al que asistía un número creciente de jóvenes afrocubanos.

Todos estos elementos contribuyeron a que el reggae fuera no sólo el medio por el cual muchos cubanos comenzaron a identificarse con Rastafari, sino también una nueva alternativa musical marginal en un nuevo espacio.

La mezcla de ideología y de esnobismo que rodeó el surgimiento del reggae en Cuba, interactuó con las situaciones marginales donde germinó en algunos grupos para proyectarse hacia otros grupos sociales con diferentes formas de vida y pensamiento, hacia el "otro significativo" (García y Baeza, 1996:24) de la identidad cultural alternativa asumida por los primeros simpatizantes. Las causas antes expuestas se hicieron sentir con más fuerza en Ciudad de La Habana (primero en los actuales municipios Habana del Este, sobre todo Alamar y el reparto Camilo Cienfuegos, y Plaza de la Revolución, antes de escucharse más en otros municipios como Habana Vieja y San Miguel del Padrón), y Santiago de Cuba, donde algunos comenzaron a exhibir sus cualidades como *deejays* y cantantes en fiestas populares y privadas. Entre las primeras evidencias del arraigo, vale mencionar la creación del Club de Fans del Reggae en la Casa de la Cultura de Alamar; las reuniones recreativas y fiestas que se generaban se extendieron pronto a los repartos Bahía y Camilo Cienfuegos del propio municipio Habana del Este.[104] Pruebas de esto se encuentran en los diversos testimonios orales, ofrecidos por varios de los entrevistados que estuvieron involucrados directa o indirectamente en el arraigo del reggae en Cuba en la década de los ochenta. Cocoman, Ariel Díaz, Manolo Dalls, El Peca, Félix Pablo Viltres y muchos otros me han contado historias de vida más o menos coincidentes sobre sus acercamientos al reggae. Darwin, estudiante de Lengua Inglesa de la Universidad de La Habana, me confirmó con sus anécdotas que para la mayoría la aproximación al reggae respondió a una inclinación meramente esnobista. Era un joven rockero fanático cuando vivía en Camagüey entre 1985 y 1987, una provincia donde, me cuenta, no existía una cultura Rasta. El reggae, probablemente se refiere sólo al de Bob Marley, "era una música traída del extranjero", "lo bailaba en la casa y en fiestas sin saber qué era ni qué significaba" hasta que sus estudios del idioma inglés le permitieron acercarse con otro punto de

[104] Entrevista con Cocoman en octubre de 2004. La fecha exacta de creación de dicho club de reggae de Alamar ha quedado en el olvido, pero nadie duda que marcó un hito para el posterior arraigo del reggae en el país.

vista.[105] Sin embargo, Manolo, uno de los que se enorgullece de su ascendencia anglocaribeña, resalta el carácter espitirual e instructivo de este contacto intercultural:

> Siempre la música ha sido muy importante en mi vida, a pesar de no conocer el texto de las canciones. Es la intuición, la capacidad oculta de captar el sentimiento de las cosas lo que me llamó la atención. Te pongo por ejemplo el soul o la música de Jimmy Hendrix y otros afronorteamericanos en la que es evidente comprender la existencia de un sentimiento sin necesidad de ver la imagen ni de entender el mensaje [...] El rock and roll y el rock son ritmos agresivos y simbolizan un sentimiento de soberbia hacia el mundo que nos rodea [...] Ahora es que conozco los textos de Bob Marley y para mí no son textos de lamento, sino de quiénes somos nosotros, y de por qué estamos en estas tierras, de la esclavitud de la mente, de la conciencia, y de cómo nos impusieron la filosofía occidental.[106]

Cuando comenzó la difusión del reggae por el mundo, muchos músicos que no lo habían hecho antes, lo utilizaron para conquistar otros públicos versionando éxitos con el nuevo ritmo o utilizándolo en composiciones nuevas. El contexto cultural cubano no escapó a esta internacionalización ni al triunfo del reggae sobre la barrera del idioma. Raúl Rodríguez, director de Manana Reggae (antes llamado grupo 100% desde 1995), me aseguró que el primer grupo fundado en Cuba fue Cuenda Zaza, dirigido por un estudiante caboverdiano e integrado por otros becarios extranjeros. Hacían música caribeña, no solamente reggae, y llegó a presentarse en algunos lugares públicos, atestigua Raúl. Tierra Verde fue la primera banda de reggae en Cuba que llegó a consolidarse.

[105] Entrevista con Darwin Martínez en marzo de 1993.

[106] De mi encuentro con Manolo Dalls el 20 de mayo de 1998. La experiencia de Manolo tiene a su favor que ya para esta fecha se había registrado en Cuba el *boom* de la cultura Rastafari y el reggae como se explica posteriormente.

La banda Tierra Verde, cuando pertenecía a la empresa de Talento Artístico del ICRT, complementaba la promoción de sus actividades y su repertorio musical con imágenes tomadas del simbolismo rasta.

Surgió en 1988 y se presentó en algunas plazas pequeñas por pocos más de cinco años antes de desintegrarse en 1993, cuando se marchó uno de sus integrantes.[107] Este grupo llegó a tener incluso una representación institucional en la Empresa de Talento Artístico del Instituto Cubano de Radio y Televisión (ICRT).[108] No obstante, la presencia de esta música no creció hasta mediados de los noventa, cuando había un interés explícito en varios sectores por revitalizarla en español como "un instinto de preservación del legado africano que corre por nuestra sangre".[109]

Raúl Rodríguez me comentó además que Cuba ha estado "invadida por rock, rap y más música extranjera" pero "no existían bandas de reggae a pesar de su relativa cercanía con Jamaica".[110]

Una visión objetiva desde fuera también da fe de esto; en un artículo titulado "El ritmo más duro de Cuba", *El País* reseñó el panorama de la música alternativa. Más de mil bandas se dedican a la *underground*; de ellas, "cerca de mil" hacen hip-hop o rap, "unas decenas" se dedican exclusivamente al rock, "menos de diez" hacen reggae y existen "algunos cientos de trovadores por cuenta propia" (Vincent, M. 2005, n.p.).

Esa cercanía con Jamaica era precisamente la peculiaridad fundamental de Tierra Verde y de las otras agrupaciones surgidas posteriormente muy ligadas a la cultura Rasta que se dedicaron por entero a un repertorio de reggae con versiones de éxitos de Bob Marley, reproduciendo un ritmo sin muchas variaciones significativas, pero aportando elementos en los textos propios, estas contribuciones fueron indicadores de la adaptabilidad y la posible legitimidad del reggae como tendencia de expresión cultural alternativa en el contexto cubano. No obstante, la falta de espacios

[107] Dos de los integrantes originales de ese grupo fundacional aún se mantienen haciendo reggae sistemáticamente con otras bandas: Félix Pablo Viltres y Félix Morales. Otros fundadores son Conrado, Jesús y Oviedo. Antes algunos estudiantes anglocaribeños habían promocionado el reggae en sus centros de estudio, según me contó Ariston Lyte.

[108] De la entrevista con Cocoman, uno de sus fundadores, en octubre de 2004.

[109] Félix Pablo Viltres, director de la banda de reggae Remanente, respondía así a la pregunta de por qué el reggae ha llegado a Cuba. Fragmento de una entrevista radiada en el programa Oasis de Domingo, Radio Taíno, La Habana, 14 de marzo de 1999.

[110] Entrevistado por mi estudiante Yilliana Montpellier Vázquez en febrero de 2003.

y de difusión se unía a la imagen de marginalidad y los prejuicios negativos, resultantes de la relación entre el reggae y la cultura Rastafari, que debían superarse.

El reggae se ha convertido internacionalmente en instrumento fundamental de la resistencia cultural. La barrera del idioma, que al principio frenó la difusión de esta música en los países hispanoparlantes, se superó con facilidad y rapidez, no sólo por el lenguaje universal de la música, sino porque los fans, en cifra creciente, en todo el mundo y en Cuba, comenzaron a aprender palabras del inglés para entender los versos, y también por la conciencia que este ritmo empezó a crear en sectores suburbanos o marginales que asumían el reggae por su sonido: el conocimiento exacto del texto era para ellos momentáneamente secundario. Las limitaciones en la comprensión del mensaje, por lo tanto, no fueron un obstáculo muy trascendente para muchos de aquellos primeros entusiastas a mediados de la década de los ochenta, ahora Rastas o simpatizantes con más de cuarenta años de edad. Además, dadas las similitudes históricas y culturales regionales entre los cubanos y el resto de los caribeños, la identificación con el reggae fue mucho más viable que para jóvenes de otras regiones del mundo, aun sin comprender en una etapa inicial el mensaje en inglés o en *patois*. Por otra parte, el arraigo de la cultura Rastafari en nuestro país y la adaptabilidad de su simbología e ideología a este nuevo espacio, tuvieron el impulso de la influencia del reggae producido en español en el Caribe hispano (sobre todo en Puerto Rico y Panamá, y, más tarde, en otros países como México, Argentina y Chile) lo que estimuló la producción del reggae nacional en la segunda mitad de los noventa.

Ese reggae hispanocaribeño se arraigó en esos países bajo circunstancias, que no voy a abordar aquí, diferentes a las cubanas, pero, como se explicó antes, al igual que en Cuba, se dieron las mismas relaciones interculturales históricamente determinadas por los procesos migratorios intracaribeños. Una de esas circunstancias es el idioma.

La mayoría de los más consagrados cultores a nivel internacional son Rastas o comparten sus puntos de vista. Más que cualquier otra tendencia cultural, más que la presencia de lo Rasta y del Rasta como sujeto u objeto en las artes visuales, la literatura y otras formas de expresión cultural, el reggae ha servido de instrumento de defensa de esa cultura para resaltar sus valores espirituales y éticos. Sin embargo, su comercialización desvirtúa la relación intrínseca entre el reggae y Rastafari al punto de que otros grupos sociales se apropien de esta música para sus intereses comerciales. Esto conlleva a que las funciones sociales del reggae como música de un grupo social no siempre sean consecuentes con las que éste defiende. Esto sucede internacionalmente; por ejemplo, el auge del cantante panameño El General, "manufacturado" en Nueva York en los años noventa, contribuyó a diseminar aún más el reggae por el Caribe hispano y también propició que nuevos fans de otros grupos sociales, no sólo Rastas, se acercaran a un *dancehall* —para entonces ya los puertorriqueños le llamaban "reggaetón"— comercial en español como el único tipo de reggae conocido por ellos, sin hurgar en el trasfondo sociocultural que lo conformó. Así mismo, en Puerto Rico, grupos de jóvenes "riquitos" (económicamente acomodados) asumieron el reggae, y la cultura Rasta en general, pasando por alto la protesta y el contenido social (Giovanetti, 1995:29), debido a las influencias de las dinámicas del mercado capitalista, donde el consumo y la comercialización desmedidos alteran la esencia sociohistórica de un producto cultural auténtico.

Una vez visible, cuando el reggae comienza a arraigarse y crecer en Cuba a mediados de los noventa con la creación de más grupos y bandas, algunas de estas dinámicas se manifiestan igualmente. En los últimos años (1995-2005), he seguido con regularidad a 14 grupos o solistas cuyos repertorios estudié parcialmente: 10 de ellos se dedican casi exclusivamente al reggae, pero sólo 4 de éstos hacían en aquel momento casi exclusivamente música Rasta, por lo que distintas formas de hacer la música coincidían generalmente en un mismo intérprete. No obstante, todos caben en el concepto amplio de reggae que discutimos antes. Estas cifras también nos dicen que los grupos o solistas que hacen el *reggae roots* lo fusionan con otros tipos de música para tener un mayor poder de convocatoria entre diferentes grupos sociales. Este criterio también salió en las entrevistas con algunos cultores del reggae; Felipe Cárdenas y Alexander González, *e. g.*, me confirmaron la idea de que los fans son numéricamente inferiores a los de la música popular cubana, y por lo tanto era necesario fusionarlo. Esos fans no son sólo los Rastas. Además, lejos de los intereses de las bandas, algunos intérpretes se apropian de la palabra "reggae" para transmitir un mensaje de sensualidad, erotismo y poner al "cuerpo fuera de control",[111] precisamente en contradicción con la paz y el control[112] que la cultura Rastafari y el reggae han brindado a sus seguidores más leales. Por lo tanto, puede decirse que en Cuba las funciones sociales de cada tipo de reggae varían de un grupo social a otro según el nivel de información y de compromiso de los simpatizantes con esta música y con la cultura Rastafari. Estos grupos sociales diversos la utilizan ya sea para defender su identidad individual, sosteniendo con la música lo que para ellos significa ser Rasta, o para, consciente o inconscientemente, subvertir algunos códigos éticos Rastas dentro del contexto sociocultural cubano. Un criterio que sustenta esto me lo expresó con decisión uno de los entrevistados: "[...] realmente hay gente que están en la onda Rasta por moda o andan en la onda Rasta para hacer [otras] cosas [...] andan difamando y andan transformando lo que realmente es cosa de Rasta, ¿me entiendes?"[113]

Otra de las consecuencias de la llegada del reggae y del hecho de que se haga en el país, en español, radica precisamente en compartir el espectro cultural con otras influencias externas y alternativas, fundamentalmente con el rock y el rap, con los que conforman un demandado trío (las tres R) entre la juventud contemporánea. No obstante, el reggae aquí no es una expresión musical consolidada, legitimada e institucionalizada, como los

[111] Cubanito 2002: "Me gusta el reggae" en el CD *Soy cubanito*: Lusafrica, 2003.
[112] Entrevista a Felipe Cárdenas en el documental *Mística Natural*, de Tamara Armas (2004).
[113] Rasta nro. 9 en conversación con Yilliana Montpellier Vázquez y Harold Pérez Corbo, 2 de mayo de 2002.

otros dos. Es simplemente "manufacturado" en Cuba, pero las fusiones con estructuras musicales del país y el contenido social de las letras le imprimen características distintivas, cubanas. Por eso lo llamo "reggae cubano", no porque exista como una expresión consolidada y legitimada como el rap, que sí se ha ganado su cubanía a base de masivización y constancia, sino sólo para distinguirlo de su vecino más cercano: el reggae jamaicano.

Mientras que el rock y el rap en distintos momentos llegaban, inevitable y lógicamente, al Caribe por los efectos de la mundialización o globalización cultural impulsada por las corporaciones mediáticas y musicales del mundo desarrollado, era optimista pensar que el reggae, navegando a contracorriente, podía penetrar fácilmente esas estrategias comerciales tan consolidadas en Europa y el mundo industrializado. En otras palabras, mientras que el rock y el rap llegan con facilidad al Caribe, el reggae sale del Caribe a conquistar esos espacios supuestamente vedados o impenetrables. Este factor le imprime un carácter de cultura de la resistencia, que lo hace carismático y contribuye a fomentar un nivel primario de aceptación entre jóvenes que llegan a él a través de relaciones sociales con otros jóvenes cubanos o estudiantes extranjeros residentes, con quienes comparten una misma filiación racial o simplemente intereses culturales comunes. Así me lo expresaron algunos de los actuales Rastas cuando se referían a sus primeros acercamientos al reggae. Los primeros fans comparten "un sentimiento sin necesidad de ver la imagen ni de entender el mensaje".[114] Igualmente comparten una predilección común por la música de calidad, por la buena música que los representa de alguna manera, ya sea por apelar a las raíces afrocubanas o por la rebeldía, aunque tuviera menos poder de convocatoria y fuera menos popular y comercial, como me comentó Lázaro, alias *El viejo*: "[...] soy fanático de la música en general, sobre todo aquella que marca pauta sin ser muy comercial". Como ejemplo me mencionó a Carlos Varela.[115] En este

[114] De la citada conversación que tuve con Manuel Pedroso Dalls, artista de la plástica, el 20 de mayo de 1998.

[115] Esta entrevista fue el 15 de febrero de 1999.

sentido, el concepto de buena música es contradictorio con lo comercial y sugiere entonces lo *alternativo*, un término muy abarcador introducido "durante los años ochenta y noventa en Inglaterra y los EE.UU. Otro ejemplo [...] de la estrategia de ciertos grupos de ponerse en oposición de los ambientes en que ellos están excluidos —así valorizando lo que ellos hacen".[116]

Por consiguiente, existe entre los entrevistados la opinión de que el reggae es, para muchos, una expresión trascendente social y culturalmente, en especial para quienes están conscientes de la historia de opresión y resistencia donde quiera que haya existido algún tipo de dominación colonial, esclavitud y explotación.

Condiciones de marginalidad

La cultura Rasta le dio al reggae en Cuba un estigma que aún hoy lo acompaña. El uso espiritual que los Rastas hacen de la marihuana en todo el mundo, sobre todo en Jamaica, influyó negativamente en la sociedad y en las autoridades cubanas, las cuales prejuzgaron a los Rastas desde que se comenzó a escuchar reggae en la segunda mitad de la década de los setenta. La marginación, las detenciones arbitrarias y la prisión por cargos de vagancia y consumo de *Cannabis* eran comunes en esos días tempranos; además, incluso si la inocencia era evidente, tenían que soportar que se les cortara el pelo una y otra vez en contra de su voluntad y otras consecuencias negativas que motivaban siempre, más en unos que en otros, un cambio de actitud o una posición de resistencia e intolerancia hacia esas acciones agraviantes. El carácter cultural alternativo y marginal, desde los inicios de la cultura Rastafari y el reggae, tiene en estas actitudes una causa esencial.

Esto no puede analizarse aparte de la resistencia cultural que ha caracterizado al modo de vida Rasta en Cuba. La apariencia

[116] Mensaje electrónico enviado el 20 de abril de 2008 por Juan Eduardo Wolf a la lista de miembros de la Rama Latinoamericana de la Asociación Internacional para el Estudio de la Música Popular como parte del debate virtual titulado "Comercial/no comercial".

física "temible", sugerida por el pelo largo en forma de *dreadlocks* —"los moñudos"— y las evidentes y esenciales conexiones con la problemática racial y África, acentuaron las condiciones marginales en las que Rastafari y el reggae comenzaron a desarrollarse en Cuba. En esos años (finales de los setenta y principios de los ochenta) no existía un reggae hecho en Cuba; por lo tanto, lo que se reprodujo en el contexto cubano fue el mensaje original, innovador y devoto de las superestrellas jamaicanas. La contribución del reggae a difundir las ideas religiosas de Rastafari es indudable. Pero fue el reggae, por ejemplo al estilo de Bob Marley y otros famosos, no la convicción de la divinidad de Selassie I, lo que atrajo a algunos jóvenes a esta cultura, aunque muchos llegaron a "convertirse" luego de su afinidad con la novedosa música. En la actualidad, el único conocimiento religioso que algunos Rastas y simpatizantes tienen, fue adquirido a través del patrón de llamada y respuesta muy común en la tradición oral, o sea, repitiendo en una mezcla del inglés con el español frases y estribillos como "¡Jah Rastafari!", "¡Selassie I!", "¡*Burn down* bábilon!" y otras que aún hoy inspiran y exaltan el ánimo en los conciertos de reggae.

Otras causas del carácter marginal del reggae en Cuba radican en el proceso de socialización. Ésta es una música foránea, en inglés, y por consiguiente no abundaba en los medios de difusión. La transmisión pasó entonces al plano alternativo, marginal. Escuchar reggae era cosa de pequeños grupos de jóvenes fieles seguidores; reproducirlo era una tarea de grupos aún más pequeños que tenían alguna grabadora de cassettes, en aquel momento casi un artículo de lujo. Estas primeras grabaciones reproducidas en forma doméstica se usaban en los "bonches" organizados algunos fines de semana en casas particulares en esas zonas de la Ciudad de La Habana (Alamar, el reparto Camilo Cienfuegos, Vedado, Habana Vieja) y en Santiago de Cuba (Callejón de los Perros, La Pastorita, reparto Abel Santamaría y otros lugares).

De la actualidad

Mientras tanto y hasta la fecha, compositores y grupos reconocidos como Alberto Tosca, Pablo Menéndez, Moncada, Sampling, Dan Den, … y otros más recientes como Moneda Dura, Buena Fe, Yerbawena, William Vivanco, etcétera, se desprendieron de los tabúes y asumieron el reggae como soporte para complementar el mensaje de algunos de sus textos. Todos ellos lo han utilizado en su forma más auténtica o en una fusión como parte de sus variados repertorios, pero sin un compromiso explícito con la cultura Rastafari.

Después de 1995 aproximadamente, surgieron, sobre todo en La Habana, otras bandas y solistas estrechamente ligados a la cultura Rastafari, cuyo repertorio principal o exclusivo es el reggae: la reconstruida banda Tierra Verde, y también Remanente (1996), Insurrectos (1998, antes Hijos de Jah, 1997), Hijos de Israel (Cienfuegos, 1997), Punto Rojo (2000), Paso Firme (2002), Otro Paso (rock y reggae), Raíces Negras (Baracoa, Guantánamo); y solistas o grupos de formato más pequeño como Ras Lázaro

Remanente en concierto en el Salón Rosado de la Tropical el 12 de marzo, de 2004.

(poeta *dub*), Príncipe Carlos, San Miguel o Militar Dread, Ras Cocoman, el dúo Crazyman, Elioman, el trío ocasional Commercial Dreadlocks, Lágrimas Negras (Santiago de Cuba, música cubana y reggae) y Justicia (hip-hop y reggae), varios de éstos y otros tuvieron una existencia muy efímera (apenas unos meses, como Sembradores Místicos, integrado por estudiantes extranjeros del ISCAH y cubanos, 1996), por lo tanto no fueron de mucho interés para la investigación. Algunos de estos nombres de solistas son reminiscencias del uso de la palabra "*man*" en el inglés o creole jamaicano entre los entusiastas y cultores del reggae: Yellowman[117] o las palabras "Rastaman" o "Jahman", muy comunes en el *dread talk* (DT) o vocabulario Rasta.

Casi todos comenzaron con sus propios recursos, su talento y sin estudios previos. No todos los miembros de cada grupo son Rastas, pero sí todos simpatizan con esta cultura y con el reggae como tendencia alternativa. Algunos han resultado agrupaciones momentáneas o inestables, lo que se debe fundamentalmente a la falta de recursos propios, a la inestabilidad de los integrantes o a las desiguales posibilidades de evaluación, de acceder a un reconocimiento oficial o institucional como agrupaciones profesionales y pertenecer a una empresa musical estatal.

La segunda mitad de la década de los noventa fueron años de auge para el reggae, ya que algunos Rastas y los simpatizantes comenzaron a estudiar música, componer sus propios textos, grabar *backgrounds*, escribir poemas, fundar sus bandas, romper barreras burocráticas para promover su música en los medios y a actuar en lugares públicos e instituciones culturales con mucho menos obstáculos y menos prejuicios que en los años ochenta. Esto fue posible no sólo por la insistencia de los fans del reggae en procurarse estos espacios, también porque, luego de que el país comenzara a recuperarse, lentamente y a partir de 1995 por la apertura al turismo internacional como actividad económica fundamental, se produjeron contactos mucho más abiertos con

[117] Famoso compositor e intérprete jamaicano del estilo *raggamuffin* desde los años ochenta.

ideas y culturas extranjeras; la juventud adoptaba con más fuerza algunas de estas nuevas formas de expresión. De la visibilidad que había ganado la cultura Rastafari entonces se hicieron eco instituciones culturales y académicas. Quizás el ejemplo más elocuente es la Casa del Caribe de Santiago de Cuba. Durante las Fiestas del Fuego, el Rasta tuvo su espacio en los desfiles de inauguración y de clausura como exponentes de los lazos interculturales con la cultura popular caribeña; incluso llegaron a abrir un efímero local con el apoyo institucional de la Casa hasta que se ordenó cerrarlo por las incomprensiones y divisiones internas del grupo. No obstante, la Casa del Caribe organizó el encuentro Bob Marley a la Luz del Rastafari entre el 3 y el 6 de febrero de 2000, hasta el presente único en su tipo celebrado en Cuba, pues extendió los debates y la música hasta la comunidad; ello admitió una vez más la cultura Rastafari dentro del contexto santiaguero como una manifestación de la cultura popular del Caribe.

Habíamos visto que la cultura Rastafari y el reggae llegaron simultáneamente a Cuba, pues el reggae fue una de las vías de entrada de Rastafari; por lo tanto, a partir de 1995, más personas de diversos sectores sociales y grupos raciales, sobre todo jóvenes, se identifican con esa forma de expresión. Algunos van más allá, comprenden además el vínculo entre esta música y la cultura Rastafari. En una encuesta sobre el uso de atributos con los colores rojo, amarillo y verde, esta idea quedó esclarecida, pues se vertieron por escrito y anónimamente algunas opiniones interesantes. Un estudiante de veintiún años, por ejemplo, contestó, a una pregunta sobre las motivaciones iniciales para el uso del objeto tricolor que llevaba "desde que comencé a escuchar música reggae y por la admiración del grupo [musical] de mi hermano, ya que gracias a él estoy familiarizándome con esa cultura".

A pesar de este corto pero dinámico proceso de auge de finales de los noventa, el reggae nunca llegó a masificarse a los niveles que alcanzó el rap. Ambas tendencias culturales alternativas coincidieron desde finales de los ochenta. El rap ha logrado tener un mayor poder de convocatoria; sin embargo, la extracción social

de los entusiastas del rap y del reggae era la misma —jóvenes, fundamentalmente negros y marginales—, esto explica por qué algunos de los fans del reggae, de los cuales varios son Rastas actualmente, hacían rap y *break-dancing* en las calles antes de consagrarse a Rastafari y el reggae o viceversa. Una de las anécdotas interesantes sobre esta interrelación viene de las conversaciones con Francisco (alias *El Michael*). A principios de los ochenta era un *break-dancer* adolescente, amante de toda la música afroamericana, hasta que vio un video de Bob Marley en la televisión en una fecha de finales de los ochenta que no puede precisar. A partir de entonces, comenzó a cultivar una nueva imagen, un nuevo estilo y nuevas ideas. Otro ejemplo es el trabajo como solista de Militar Dread, quien se dedicaba al hip-hop y al reggaetón, al mismo tiempo que no abandonaba su simpatía por el reggae como vocalista de Manana Reggae Band. En resumen, como algunos de ellos han declarado, tanto el reggae como el rap son esencialmente lo mismo en tanto defienden una misma causa y radicalizan sentimientos de identidad similares.

El proceso sociocultural descrito brevemente hasta aquí, que se complementa con la explicación de la esencia del Rastafari cubano expuesta en los capítulos anteriores, refleja las características subculturales del proceso de surgimiento y desarrollo del reggae cubano. Tanto la superación de la barrera idiomática, como el enfrentamiento al rechazo social, los prejuicios raciales y la represión policial; en la reafirmación de lo negro, las raíces africanas y el orgullo racial; en las grabaciones caseras y las audiorrecepciones de emisoras foráneas de música que no se radiaba en los medios nacionales, y en la aparición en espacios sociales y públicos desde las posiciones suburbanas y marginales, permiten apreciar el modo de vida y mensajes contestatarios de esos cultores del reggae en su mayoría autodidactos. Esta posición subcultural, marginal, tiene un reflejo inmediato en las letras de buena parte del estilo del reggae cubano desde sus inicios hasta la actualidad. Como veremos a continuación, los textos reseñan la variedad de intereses y opiniones tanto de los Rastas como de los "gentiles" en la sociedad cubana: el amor en el sentido más amplio de la palabra, las relaciones sociales y de género, la paz, la naturaleza, las relaciones raciales y el comentario o crítica social encuentran espacio en esos textos.

Entre lo trasgresor y lo popular (Análisis temático)

Máximo respeto pa' toda mi gente
Que el reggae en Cuba ahora está presente
Déjate de envidia, déjate de enojo
Mírame a la cara, mírame a los ojos.
De la canción "Máximo Respeto",
de Alexander Rodríguez, Paso Firme

En el reggae, como en casi todas las formas de expresión musical, convergen sin duda alguna dos formas distintas de comunicación del mensaje: el texto y la música que lo acompaña. A pesar de opiniones acerca de que "sería ocioso someter al texto al análisis literario y separarlo del análisis musicológico" (Rodríguez, L., 1995:4), o de que "resulta indispensable analizar la obra como un todo orgánico" (Casanellas, 2004:11), otros autores ya han hecho énfasis en el texto (Mateo, 1988) y, en el caso del reggae, lo han considerado como manifestación literaria, aunque reconocen que el significado completo del mensaje se realiza en relación directa con la combinación de los códigos sonoros de la palabra y de la música (Cooper, 1995). No obstante, es importante tener en cuenta que en ocasiones el "código lingüístico utilizado" resulta "absolutamente secundario", por ejemplo cuando se percibe la carga emotiva de una pieza musical cuyo texto está escrito y cantado en otro idioma (Casanellas, 2004:10). La versión original de "Oh Carolina!" interpretada exitosamente por los tambores de Count Ossie le recordaba a todos la tradición y los orígenes africanos de la cultura jamaicana, a pesar de que la letra no guarda relación alguna con la ideología rasta. La mayoría de los Rastas y simpatizantes del reggae en Cuba percibieron precisamente esa carga emotiva en muchas canciones de Marley o Jimmy Cliff, o sea, entendían el mensaje de la música antes que el mensaje del texto. Pero ello no le resta importancia a la letra.

La relación texto-música, explorada por Lucía Rodríguez en un estudio aplicado a la nueva canción cubana, se realiza en tres planos o niveles, convenientes también para este trabajo, a saber, 1. el temático (el argumento, el tema, los puntos de vista en que pueda ser abordado un tema determinado y las características de la comunicación directa o a través de imágenes o símbolos), 2. el composicional (la música y el lenguaje, en igualdad de condiciones, definen la estructura) y 3. el entonacional (aspectos estilísticos individuales o nacionales que diferencian cada obra o cada autor) (Rodríguez, 1995:15-7). Para Casanellas, éstos son, primero, el plano ideotemático y, luego, el composicional y el lingüístico que se conjugan en todo estudio de los textos "en su sentido más amplio" (Casanellas, 2004:11).

Este capítulo se centra solamente en el plano temático, o ideotemático, que apunta en varias direcciones: hacia la función social del texto; el factor sociocultural humano, o sea, la relación entre creadores y participantes; la comunicación de un mensaje; los intereses o necesidades de comunicación del autor, cantante o grupo para plasmar aspectos relacionados con el entramado ideológico de su identidad cultural según el nivel de compromiso o simpatía que los cultores de reggae cubano tienen con la cultura Rastafari. Según Rodríguez, el análisis temático permite determinar también el sector de la realidad apropiado por el autor (1995:15-16) o si el autor es en sí mismo parte de esa realidad que presenta en los textos. Este análisis puede ciertamente extenderse a un *sentido más amplio* e incluir, por ejemplo, el plano composicional para descifrar el uso de la fusión y otros recursos utilizados en la construcción de la estructura musical; por ejemplo, el grupo Remanente incluye con frecuencia diversos bloques o pasajes de música popular cubana, de música clásica o de rock, como recurso composicional, con la intención de alejarse del reggae de las raíces que hacía en sus inicios y acercarse más a una forma de expresión propia, "cubana". Este tipo de análisis contribuiría también a explicar cuán "cubano" es el reggae, o si se trata solamente de un reggae "hecho en Cuba". Así el estudio del hecho musical, del lenguaje de la música, es más completo;

en el futuro, si el reggae llega a ser más visible y masivo, otros especialistas podrán dedicarse a ello. El plano temático basta, por ahora, para ilustrar la correspondencia entre la realidad sociocultural cubana y el nivel de compromiso del canta-autor con la cultura Rastafari.

Antes, dedico unas páginas a describir la situación en que se realizan estos textos.

El concierto: un contexto sociocultural

El reggae, como expresión esencial de la cultura Rasta, se realiza en un contexto sociocultural que denomino el "concierto de reggae": una presentación en vivo de una o más bandas o solistas que interactúan con un público heterogéneo, organizada con apoyo institucional o sin él y siempre en lugares públicos. Es un momento cardinal del proceso sociocultural generado por esta música y sus mensajes como respuestas principales de identidad desde el sujeto hacia el *otro*. A partir del concierto, el sujeto deviene una fuente de retroalimentación que sirve de punto de partida para llegar a otros grupos y sectores de la sociedad, y, eventualmente, acceder, en mayor o menor grado, a un espacio en los medios de difusión y legitimar su forma de expresión cultural a partir de la aceptación y calidad del mensaje transmitido por el hecho musical en su conjunto. La relación texto-música parece inseparable, en este contexto sociocultural, en la función de la realización plena del mensaje. Los grupos o solistas ensayan con más o menos regularidad según su nivel de compromiso con esta forma de expresión cultural, según su interés (a veces cultural, a veces económico) en crear con más calidad, según su condición de profesionales o aficionados. Además de los arreglos y otros aspectos meramente musicales, la selección del repertorio ocupa un lugar primordial en esta preparación: elegir qué se dice, en qué orden y cómo, es importante.

En los conciertos se aprecian diferentes niveles y tipos de concurrencia. Se puede notar que los públicos más nutridos incluían grupos sociales de menor compromiso con la ideología Rastafari, o sea, la mayoría no era visiblemente Rasta (según la presencia de símbolos y atributos de identificación) y le prestaban diferente nivel de atención a los diversos temas interpretados. Ello también apoya el hecho de que el reggae como forma de expresión alternativa sirve a diferentes grupos y sectores sociales en la representación de una identidad.

Durante el período de auge del reggae cubano, a partir de 1995, ha crecido gradualmente el número de conciertos y otros eventos con espacio para la presentación en vivo de uno o más grupos. Los de mayor trascendencia se realizan alrededor de fechas que por lo general conmemoran las efemérides importantes para el Rasta cubano: el aniversario de Bob Marley el 6 de febrero y de la coronación de Haile Selassie I el 2 de noviembre. En los primeros días de febrero, ya se ha realizado en dos ocasiones el denominado extraoficialmente "Festival de Reggae de La Habana" a partir de 1998, que adquirió carácter internacional con la presencia además de artistas de Canadá, Jamaica y Bahamas. El periódico *Granma* reseñó uno de estos eventos en su versión digital del 2 de febrero de 2002.

Pero también se han realizado conciertos en fechas no significativas, como parte de proyectos culturales comunitarios y "peñas", en el anfiteatro de Guanabacoa, en el parque San Isidro, en el santiaguero Callejón de los Perros, en el anfiteatro del Parque Almendares, o en el anfiteatro de La Corea, y muchos otros espacios, por lo general suburbanos, casi siempre impulsados por los propios Rastas y con sus propios recursos.

En esos primeros años del *boom*, ninguna de las bandas estaba institucionalizada, o sea, no pertenecían a ninguna empresa musical. Por lo tanto, no tenían el respaldo legal para actividades estables y remuneradas. Sin embargo, más recientemente, algunos grupos se han profesionalizado; esto significa que existe no sólo la posibilidad, sino la necesidad de hacer un número determinado de presentaciones en un año; por lo tanto, los conciertos pequeños o grandes son más comunes. También por esta razón se han realizado conciertos en cines y teatros de la capital auspiciados

EL REGGAE SIGUE SONANDO

Por Omar Vázquez

Uno de los rasgos más sobresalientes que identifica al caribeño es esa singular cadencia, la inigualable sabrosura de su ritmo, para expresar a través del baile la música que lleva dentro. Y falló el que pensó que el ritmo languidecería al fallecer uno de sus máximos, intérpretes Bob Marley (11 de mayo de 1981), a quien estuvo dedicado el Primer Concierto Internacional de Reggae de La Habana, esta semana en el teatro América.

El programa de Manana Reggae y sus invitados demostró que "el son del corazón del Caribe anglófono" sigue teniendo fuerza. Teddy Josiah Kinlock, un destacado percusionista y compañero de Marley en The Wailers, como vocalista, no tiene problemas en mezclar el reggae con tonos cercanos, de sus vivencias iniciales en Bahamas, con el ritmo yunkanoo, como evidenció en ¿Dime por qué? Ataviado con la colorida vestimenta que caracteriza a estos músicos, también destacó por su desenvolvimiento escénico; como además lo hizo la compositora y cantante jamaicana Debbie Young, en Cuando el amor.

Con un buen sonido el grupo Manana (corazón) Reggae, dirigido por Raúl Rodríguez y el cual se ha echado encima la tarea de popularizar el ritmo entre nosotros, mostró sus hechuras cubanas también con influencias del heavy metal. En esta línea se lució el grupo Punto Rojo (integrado por músicos nuestros y de Martinica que estudian en el Instituto Superior de Arte), que en Quisiera un día, mezclaron el jazz y el rock, con el reggae. Buenas y acopladas voces, especialmente la de la tecladista.

por proyectos culturales institucionales como el de Paso Firme el 18 de noviembre de 2005 en el cine Riviera y, por ello, ya no sólo se realizan en las señaladas fechas de celebración.

Los pocos discos grabados y distribuidos informalmente ("quemados") contribuyen a generar un nivel mínimo de expectativa previo a las presentaciones entre los fans o simpatizantes del reggae. Sin embargo, este aspecto no es significativo; los grupos o bandas en general trabajan para el concierto o presentación en vivo, pues la comunicación con el público heterogéneo y diverso representa una posibilidad de difusión y retroalimentación más inmediata que las grabaciones y los medios. Esto es así incluso para los grupos que han contado o cuentan con difusión mediática. Ya explicamos que en el corto tiempo de presencia del reggae en Cuba, varios grupos han defendido el reggae cultivándolo sistemáticamente en su repertorio; sin embargo, sólo una canción de uno de estos grupos ha logrado estar en listas de éxitos de las emisoras de radio. Se trata de "Ya llegó la noche", interpretada por Paso Firme, que Radio Metropolitana registró durante un tiempo en la preferencia de los oyentes.

El concierto constituye además una zona de confluencia del reggae con otras tendencias de expresión del Rastafari cubano actual. En ocasiones, antes o simultáneamente se ha organizado una expo-venta de artes plásticas (pintura o escultura) personal o colectiva, y se instala un espacio para la venta de artesanías hechas por Rastas, aunque no exclusivamente, que brindan una perspectiva de sus potencialidades creativas. Estas confluencias de lo creativo material con lo espiritual y lo humano se complementan unas con otras.

La heterogeneidad del público con que interactúan los cultores del reggae en el concierto también evidencia la diversidad de matices raciales de los simpatizantes y la aceptación por rockeros y raperos resultado de las relaciones interculturales con otras manifestaciones populares entre la juventud, como el hip-hop y el rock. El concierto como contexto sociocultural de esta tendencia alternativa genera también una serie de interacciones con otros sectores sociales, autoridades institucionales y de orden público quc, a corto plazo, refuerzan en algunos casos los prejuicios y el estigma negativos que encara la cultura Rastafari cubana, o los minimizan en otros.

Todas estas peculiaridades así como las especificidades de la cultura Rastafari influyen directa o indirectamente en los argumentos del reggae cubano. En el concierto se materializan estas conexiones en una relación autor/Rasta-texto-mensaje-público que determina nivel de aceptación y convocatoria de los temas interpretados.

Existe otro contexto sociocultural donde el reggae opera como centro en el proceso de identificación de los grupos de simpatizantes, pero tiene menos poder de convocatoria y reúne a una menor cantidad de personas. Me refiero a los "bonches"; son más frecuentes, privados e informales; la concurrencia, aunque menos numerosa, es igualmente heterogénea. Sin embargo, a pesar de las diferencias, tanto el concierto como los "bonches" actúan como medidores de la popularidad de los temas. En éstos, la música es evidentemente más comercial e internacional; por lo tanto, fueron menos significativos para evaluar al reggae cubano y sus textos como expresión cultural del Rastafari.

El texto del reggae cubano[118]

El poder de convocatoria de la música y el alcance del mensaje en el plano temático colocan al reggae por encima de las otras formas de expresión cultural rastafariana como la pintura y la escultura. Además, en las culturas donde la oralidad es uno de los componentes fundacionales, la palabra combinada con la música llegará a su destino más rápida y efectivamente que cualquier otra manifestación artística. Durante la clausura del debate en la Casa de la Cultura de Plaza, después de hablar y polemizar con el público sobre Rastafari, Ras Aristafari decía: "Hay tanto mensaje, tanto que decir, que pedir permiso a todas las autoridades... para dar discursos, van a decir, los moñudos esos son cansantes

[118] Todas las canciones utilizadas para este análisis que no han sido grabadas oficialmente cuentan con el consentimiento verbal de sus autores o intérpretes para ser incluidas aquí. Algunas de éstas quizás ni siquiera han sido debidamente inscritas en los registros del Centro Nacional de Derecho de Autor (CENDA). Aparecen en grabaciones caseras o realizadas en pequeños estudios privados y pobremente equipados fundamentalmente en La Habana y Santiago de Cuba. Todos los textos, tanto de estas canciones, como de aquellas que sí han sido oficialmente grabadas y difundidas, fueron transcritos por el autor ya sea a partir de esas grabaciones dispersas entre los seguidores del reggae o de discos oficiales. En ningún caso se presentan textos completos, sino pequeños fragmentos que ilustran el tratamiento de determinados contenidos e ideas.

[sic]. Lo que nosotros estamos diciendo, ustedes lo van a oír afuera [en el concierto], pero bailando".[119]

En esta opinión se resalta nuevamente la relación texto-música, pero reitero que veremos sólo el texto ligado al contexto sociocultural en que se compone y se realiza. Parto de una definición preliminar. Entiendo por "texto" el mensaje escrito/oral de la canción cuya forma elemental no es escrita, sino que existe en virtud de la oralidad, como forma primaria de transmisión de un mensaje, durante el proceso histórico y sociocultural de formación de las culturas caribeñas. El fondo musical, llamado generalmente *background*, es en este análisis sólo un soporte intercambiable que sirve incluso para distintos textos de distintos intérpretes, como de hecho sucede en ocasiones.

Los textos del reggae en español utilizan algunas palabras o frases en inglés, en *patois* (*patwa*) o en DT mezcladas con el español para reproducir códigos de fácil transmisión conocidos por los Rastas, pero desconocidos por otros sectores. Estas palabras o frases también suelen aparecer literalmente traducidas o adaptadas al español a través de cambios en la pronunciación.[120] Esto no se aprecia en toda su dimensión en este capítulo por cuanto dependen mucho de su realización en una situación oral, ya sea en el contexto sociocultural del "concierto" o en otras situaciones en que el reggae sea el centro, tales como los "bonches" o las fiestas callejeras, donde el *deejay* las utiliza o las repite con el mismo propósito de apelar a los códigos Rastas. Otra característica es la traducción completa o parcial de originales en inglés para interpretarlos en español con muy pocos cambios en el mensaje del original. Un ejemplo de esto es "No hay noche en Zion", una versión de Hijos de Israel, un grupo *nyabinghi* cubano no institucionalizado, que reproduce parcialmente el texto de "No

[119] Ariston en la jornada de homenaje a Bob Marley el 6 de febrero de 1999.

[120] Para un estudio más profundo de la interferencia y cambios en el lenguaje y una descripción del vocabulario Rasta cubano en este proceso intercultural, se puede ver Velma Pollard y Samuel Furé Davis: "Imported topic, foreign vocabularies: Dread Talk, the Cuban connection" in *Small Axe*, nro. 19, marzo de 2006.

night" del jamaicano Joseph Hill, alias *Culture*. Apréciese la similitud entre la versión en español y el original en inglés:

Noche en Zion	*No night inna Zion*
No hay noche allí	*There is no night there*
Jah Rastafari es la luz	*Alleluia there is no night there*
No queremos otra luz	*King Rastafari is our light*
Aleluya no hay noche allí	*And we no need no other light*
	Alleluia there is no night there

Estos usos del DT en los textos del reggae y en las situaciones socioculturales donde se realiza son ejemplos de adaptación de patrones foráneos en el contexto cultural nacional como resultado de las conexiones interculturales, de los procesos de hibridación cultural.

¿Qué es "trasgresión" lírica en el contexto del reggae cubano?

Quizás uno de los aspectos más significativos a tomar en cuenta es la relación existente entre la trasgresión, o sea el carácter contestatario, y la conformidad o concesiones en busca de la difusión comercial.

La trasgresión se define por sí sola; no obstante, es importante expresar algunos criterios conceptuales y descriptivos sobre lo que en otra ocasión denominé "subversión lírica".[121] Trasgresión no es sino otra forma de denominar un fenómeno que no es nuevo en el campo de la cultura artística y, sobre todo, en la formación de las culturas nacionales en el Caribe con la mezcla de

[121] Las primeras ideas de esta parte del texto fueron escritas en inglés para un artículo publicado en la revista digital *Image and Narrative*. En ese trabajo, utilicé la frase "*lyrical subversion*" sin darme cuenta de lo difícil que sería después buscar una equivalencia en español debido a las implicaciones políticas de la palabra "subversión". Aclaro, además, que al hablar de trasgresión *lírica*, esta última palabra hace referencia a las letras, textos de las piezas musicales, y no abarca el amplio espectro que la palabra designa en nuestro idioma.

procedencias étnicas diversas. En Cuba han existido, por ejemplo, varias expresiones musicales que "han ido incorporándose a la corriente musical central luego de haber sido discriminadas por negras, y por tanto 'vulgares, lascivas, inmorales, primitivas' y demás epítetos que los blancos españoles o criollos les endilgaban" tales como el son y la rumba, y posteriormente el jazz por extranjero o por negro (Acosta, 1998:13). Muchos artistas también navegaron a contracorriente, calificados de "conflictivos" antes de convertirse más tarde en "verdaderos mitos o íconos de la cultura popular", como Rita Montaner, Chano Pozo o Benny Moré (Acosta, 1998:14). Más recientemente, intérpretes de la nueva trova cubana impusieron su talento a contrapelo de una imagen "rebelde" y de componer mensajes "raros". En la actualidad, muchos raperos rechazan hacer concesiones comerciales en consecuencia con la cultura hip-hop que defienden. Un ejemplo de ellos es el dúo Anónimo Consejo. Uno de sus integrantes, Sekuo, está plenamente identificado con la cultura Rasta; me comentó las razones de su rechazo a propuestas comerciales que les habían hecho y fue muy crítico de otros grupos cubanos que no han sido tan consecuentes.[122]

"*Everything is political*," dijo una vez Stockley Carmichael; en otras palabras, detrás de toda intensión cultural, existe una intensión o compromiso político, pero considero que en la cultura artística, la trasgresión es eminentemente cultural por la forma que asume. No ha existido en el reggae en Cuba una crítica o un ataque verbal con la intención de derrocar o apoyar un gobierno o un orden social, o de unir facciones políticas en conflicto, como sí sucedió en Trinidad y Tobago, Jamaica, Barbados, San Vicente y otros territorios de la subregión anglófona con el calipso o el reggae (Allahar, 1997).

A medida que evolucionaba, se podía apreciar que los mensajes del reggae se movían con mucha efectividad entre los dos extremos: el comentario crítico-social y la diversión festiva, bailable; *i. e.*, por un lado la defensa de valores e ideas de un grupo

[122] Entrevista con Sekuo el 17 de julio de 2003.

o sector social dado y, por otro, las tendencias comerciales que apuntan a sectores más amplios. Aunque también se distingue un término medio en el que se entremezclan las dos posiciones, ambos extremos se sustentan en el uso de elementos de la cultura popular (la tradición oral, la vida cotidiana, etcétera). El reggae ha viajado internacionalmente, transitando del "campo de batalla al salón de baile" (Giovanetti, 1995) y ha dejado atrás las convulsas décadas postindependencia de los sesenta y setenta del siglo pasado. No obstante, su carácter de resistencia se mantiene, y por lo tanto a la naturaleza política de esos años le agregamos un énfasis aún más fuerte en la función social que ha tenido desde entonces interactuando con la otredad; por eso, sus textos pueden analizarse también desde la perspectiva poscolonial, *i. e.*, considerando el papel del otro en el reconocimiento de la diferencia a partir de la dicotomía centro-periferia. Lo principal de esta perspectiva no es tanto su dimensión política sino el uso de conceptos y criterios dicotómicos de análisis: marginal *versus* institucional, lo cultural instituido *versus* lo alternativo, lo comercial *versus* lo no comercial.

La trasgresión está también muy relacionada con la noción de lo que se constituye o no en popular mediante el consumo en el mercado formal o informal, al rechazar la idea de seguir un convencionalismo, una corriente principal de mayor demanda pública. La trasgresión es la que no encaja en los cánones establecidos por los medios y la comercialización, que conducen eventualmente a lo popular, a la masificación. La música, y por lo tanto el mensaje que transmite así como su autor o intérprete, es popular cuando esta capacidad creativa, en correspondencia directa con las estrategias de producción y comercialización, es asumida por el pueblo, o un grupo o sector social significativo, que llega a identificarse con ella. En Cuba, estas estrategias no funcionan convencionalmente de la misma manera: el reggae ha seguido un camino plagado de grabaciones "hechas en casa" y distribuidas informalmente que convierten la posible comercialización formal de esa música en algo poco menos que imposible, a pesar del talento innato y del reconocimiento popular que algunos de estos cantantes y bandas han logrado tener.[123] El reggae se mueve en ese plano "subterráneo" donde los textos, además de la música, apelan a los dos extremos: por un lado, al comentario social, contestatario, reflexivo y crítico que defiende los valores e ideas esenciales de la cultura Rastafari, y, por otro lado, a las concesiones comerciales hacia lo bailable, atractivo y festivo.

Como comentaba antes, las características de la corriente musical principal en Cuba están bien definidas; por lo tanto, un estilo[124] alternativo y extranjero como el rap no había podido penetrar fácilmente ese mercado nacional, a pesar de su popularidad en pequeños grupos sociales, antes de alcanzar el reconocimiento y el apoyo institucional que ahora tiene y antes de poder hacer sus primeras grabaciones "oficiales". Mientras tanto, los textos recordaban las raíces africanas y el mestizaje de la identidad cultural nacional e individual, pero ilustraban el interés desinhibido de promover una imagen comercial diseñada en el extranjero —Orishas— con la etiqueta de fusión conocida como "*world music*" (Fernández, 2005) y evitar a la vez la representación del mundo desconocido, marginal y subterráneo de las experiencias de la vida diaria de sus propios seguidores. Sin embargo, existe la popularidad del tipo de rap trasgresor menos comercial —o sea, que se vende menos—, conocido como "*underground*" pero en grupos comparativamente más pequeños de seguidores. El reggae, en general, se encuentra en una situación más comprometida; no ha alcanzado el mismo reconocimiento oficial ni el apoyo institucional por su relación con el modo de vida y la ideología Rastafari, y por ser numéricamente menos significativo.

Los mensajes del reggae se manifiestan en las dos vertientes: la trasgresora y la popular indistintamente. Desde este punto de

[123] En entrevista con el autor, el señor Domingo Novo, gerente comercial de BIS Music, el 21 de abril de 2004, enfatizó que las estrategias de mercado hacen lo popular. Sin embargo, el mercado musical cubano, según Novo, consume generalmente sólo la música, no los discos, pues el precio de un disco original está muy por encima del poder adquisitivo del cubano medio, por lo que las compañías disqueras cubanas deben rediseñar sus estrategias comerciales en función del extranjero (ya sea para vender en el extranjero o al visitante extranjero).

[124] En este paralelo con el rap en Cuba, lo llamo "estilo" según la distinción antes citada de María Teresa Linares (Linares, 2004:14).

vista, lo *trasgresor* se corresponde directamente con las actitudes asumidas en cuanto a ser Rasta y defender esa identidad a partir de sus aspectos positivos, con énfasis en la vasta simbología y el lenguaje de que dispone; mientras que lo *popular* implica transmitir o asumir los mensajes como diversión, y reflejar consciente o inconscientemente en los textos una realidad más diversa, de temas de aceptación social más generalizada. En ambos casos pudieran apreciarse incluso algunos aspectos negativos, o sea, abusar del lenguaje popular o trasgredir los códigos sociales dominantes desde y hacia lo negativo. Ejemplos de esto son el tratamiento vulgar, a veces misógino en algunos intérpretes, de la feminidad y del sexo como en "I like the reggae", de Cubanito 2002, donde el tono banal va en ascenso hacia el final del texto y el uso del inglés para un público cubano joven hispanoparlante, más que trasgresión, inspira una intencionalidad comercial evidente dirigida hacia el extranjero.

Quiero que te entregues a esta *music, move your body*
Quiero que te muevas, pero muévelo bien suave
Hoy sí verás tu cuerpo fuera de control. Control...
I like the reggae
Move your body
I like the reggae, reggae
I like it, I like it
I like the reggae, reggae

No obstante, estos aspectos negativos no son habituales en el reggae de las raíces ni en otros tipos de reggae, y muchas veces sus protagonistas no tienen ningún tipo de compromiso con Rastafari. El idioma inglés se utiliza intencionalmente también en otros textos, pero más con un trasfondo trasgresor o como recurso expresivo en el texto. En "Una frase feliz", de Remanente, se mezclan ambos idiomas; parte del contenido en español, parte en inglés, pero juntos dejan claro un mensaje de lucha contra el SIDA

Corre en su rostro una gota
Sopla la arena el viento

Anda al azar la creación
Y nadie está contento.
No acepta falta ni condición
Le sobran los pretextos
Venga la nueva generación
Tiene marcado un puesto.
Wasted light in such a game
And now the ting is out of control
Doctors haven't found the key to the door
Never try a bite, no
Turn your eyes out of its gestures
The wolf has found a great disguise
And's walking down the world

Además, cuando Candyman utiliza el inglés en la introducción a "Señor oficial" interpretado sobre un background jamaicano, la intención no es comercial, sino recrear el DT y el contexto social jamaicano que contribuye a realizar el mensaje del texto.

> Oye tú, babilón, déjame cantar mi canción. Máximo respeto al *original bad boy* y al *raggamuffin soldier*, máximo respeto al *number one.* Candyman, con Gagoman y Puchoman haciendo clan una vez más. *Listen to me. Lord a mercy. Lord a mercy. Bomboklaat.*

Para ilustrar de otra manera este juego entre ambos extremos —lo popular y lo trasgresor— cito tres textos que aluden a un mismo tema: el amor. En "Viene de Él", Cocoman lo presenta como el amor a Dios, aludiendo al carácter mesiánico de Rastafari como religión y a la filosofía de *"peace and love"* que los Rastas más consecuentes defienden, al tiempo que contrapone el amor de uno —del Rasta— al amor del "otro" en el sentido sentimental del término. "Rudo", interpretado por Felipe Cárdenas del grupo Remanente, lo recrea en la más universal de sus formas como un sentimiento imprescindible, privado e íntimo. Por último, "Dulce, sabrosa, sabor a miel", por Cubanito 2002, presenta al amor pasajero, natural, como diversión, para el consumo de un público más amplio, y la única simbología utilizada se retroalimenta del lenguaje popular en el uso del piropo cubano. Los dos primeros son muy representativos del reggae de las raíces consecuente con Rastafari; el grupo que interpreta el último solamente se compromete con el reggae, no con la cultura Rasta, pero es mucho más comercial, popular. Puede inferirse entonces que existe una correspondencia entre los mensajes del reggae y las diversas formas de asumir la cultura Rastafari, *i. e.*, entre las cuatro filiaciones determinadas: a saber, religiosa, filosófica, esnobista, y los "drelas" que interactúan entre sí y con el resto de la sociedad en general, que sólo se identifica con el reggae. Como forma de expresión cultural de cada uno (tanto de los sujetos —los cultores— como de los objetos —los consumidores, el oyente o el público del concierto—) el reggae se corresponde con la actitud asumida por ellos ante la cultura Rastafari, o el conocimiento o desconocimiento de ésta.

Los textos reflejan esta correspondencia. Las bandas de reggae y los cantantes (Rastas o simpatizantes mayoritariamente) se insertan en esta dinámica trasgresor-popular, y en sus matices intermedios más sugestivos para un público más amplio, con el único objetivo de difundir un mensaje en relación directa con sus experiencias de la vida diaria. El espectro temático del reggae no sólo reseña en los textos las vivencias marginales cotidianas, sino también los prejuicios raciales y los estereotipos negativos y, en el caso de los Rastas, la desafortunada asociación con el abuso de drogas. En su conjunto, conforman una amalgama de temas por una parte trasgresores, que limitan sus propias posibilidades de movilidad social ascendente en el mercado y en la legitimación de esta forma de expresión cultural, y por otra parte apelan a una aceptación masiva en otros sectores sociales mediante textos con contenidos más universales y menos reflexivos.

Candyman, el catalizador del reggaetón en Cuba a fines de 2001, cuyo origen como figura popular está muy vinculado a los Rastas y simpatizantes del reparto Abel Santamaría en Santiago de Cuba, tiene textos interpretados sobre un *background* de reggae. Pero muchos clasifican como para un "consumo de bajo costo";[125] cada actuación atraía a miles de personas interesadas en la explícita vulgaridad y el contenido evidentemente sexual de sus textos, que no se radiaban a pesar de la incuestionable popularidad y el alto poder de convocatoria. De ahí el carácter marginal de los textos de Candyman, que escoge temas cotidianos —sobre todo los conflictos del amor y el sexo— y los matiza positivamente con la picaresca y el doble sentido del humor cubano antes de caer en la vulgaridad. "Marilú" es una muestra de cómo se trata de compatibilizar "las opiniones hegemónicas de la movilidad social, la auto-realización y el consumo" (Sansone, 1995:114-5) con el objetivo de lograr una integración más exitosa con las estrategias de difusión y, por consiguiente, un acceso más fácil a un público aún mayor. Sin embargo, el mismo Candyman se aparta a veces de esta tendencia popular para dar cabida a los mensajes desafiantes, comprometidos con su ascendencia social y sus experiencias reales en los textos trasgresores por su incompatibilidad con niveles institucionales u oficiales. Cito una vez más el título "Señor oficial" que convoca a los niveles institucionales al reconocimiento de la diversidad en la identidad cultural. Esta posición es el extremo más contestatario del concepto de trasgresión que aquí se utiliza.

Las posiciones intermedias entre esos extremos obedecen a la combinación adecuada del uso del reggae como soporte musical y a la profundidad del mensaje que el texto transmite, ya que se puede ser trasgresor y popular al mismo tiempo en dependencia de cómo el compositor o el intérprete utiliza esas posibilidades. Gerardo Alfonso no tiene como repertorio principal el reggae, pero ha utilizado ese soporte para textos reflexivos y críticos sobre aspectos polémicos y medulares de la realidad social cubana; el texto de "Dicen que", *e. g.*, alude a los prejuicios raciales con un lenguaje coloquial e imágenes de fácil comprensión que combinan eficazmente los dos extremos de este análisis.

[125] De la citada entrevista con Domingo Novo sobre la popularidad y el mercado. Grabarle un disco a Candyman, decía, no sería rentable nacionalmente porque todos sus textos ya se difundían en los discos "quemados" y casetes de mucho más fácil acceso para la juventud.

Dicen que… ¿Qué? Dicen que… ¿Qué?
Hay un tumulto negro en una esquina
No te asustes que no tiene espinas
En el huerto el grano se han robado
Y es al cuervo a quien han condenado
Con la gente hay mucho cuidado
Y río cua, cua, cua, cua, cua, cua, cua
Con el color hay gato encerrado
Dicen que… ¿Qué? Dicen que… ¿Qué?
Con ese color tienen la misma oportunidad
Dicen que… ¿Qué? Dicen que… ¿Qué?
Por ese dolor, pregúntaselo a la humanidad
Dicen que son buenos corredores
Pero les acusan de ladrones
Y por eso nos van marginando
Para que un día sigamos robando
De nosotros hay grandes cantantes
Y río cua, cua, cua, cua, cua, cua
Porque nos cuesta doble llegar a gigantes

Estos dos extremos (el comentario crítico-social y la diversión festiva) constituyen los límites del concepto de trasgresión lírica que este análisis sustenta. El primero lo llamo “trasgresor”, es donde podemos identificar los textos que subvierten esas estrategias de consumo y opiniones hegemónicas. Diversas formas de hacer reggae apoyan los textos de este tipo: los toques de tambores *nyabinghi*, el reggae de las raíces (*roots*) o variantes más fusionadas con géneros como el rock, son los soportes musicales más utilizados. No quiere esto decir que todo el reggae de estos estilos sea sólo crítico, contestatario, de protesta o rebelde. El segundo lo denomino “popular”. Aunque este puede incluir intérpretes y compositores que utilizan el reggae sin tener vínculo alguno con la cultura Rastafari, tales como Mezcla, Moneda Dura, Buena Fe y tantos otros, muchos textos del reggae cubano hecho por los Rastas o sus simpatizantes transmiten mensajes que no entran en contradicción con las consideraciones hegemónicas del mercado, ni con la aceptación o consumo popular generalizado y, por lo tanto, no son líricamente trasgresores. Éstos pueden llegar con más facilidad a insertarse en los gustos de la sociedad en general con el amplio apoyo de la difusión mediática.

La ideología Rastafari no se centra sólo en los temas históricos, esotéricos, políticos o de crítica social, también hay espacio para temas más universales como los valores humanos, el amor y la naturaleza, que convocan a un público mayor. Por supuesto, Bob Marley tampoco fue una excepción; sus canciones "Exodus" y "No Woman No Cry" son dos ejemplos de diferentes niveles de convocatoria a distintos públicos, que no se excluyen mutuamente al estar vinculados por una misma interpretación del mundo.

Aunque en Cuba no se aprecia actualmente un aumento del número de grupos de reggae, entre 1995 y 2002 ésa era una tendencia dominante. Y en esos años, una combinación apropiada de ambos extremos, unida a la masividad de su expresión hubieran contribuido a crear mejores condiciones de aceptación social de la cultura Rastafari y el reggae dentro del contexto sociocultural cubano. Además, independientemente de que nuestro énfasis está en el texto, se evidencia en algunos intérpretes exitosos e institucionalizados (Yerbawena, William Vivanco, etcétera) un interés en evitar el reggae como exclusividad y apelar también a la fusión ampliamente creativa con otras estructuras musicales. El director del grupo Paso Firme, uno de los músicos que simpatiza con la cultura Rasta y uno los más exitosos cultores profesionales del reggae en Cuba, explicó que es difícil para un grupo llegar a la preferencia y mantenerse en ella si se centra sólo en el reggae, por lo que la mezcla es esencial para atraer a un público mayor y más diverso en los conciertos. Por otra parte, la realidad es aún más compleja si la mayoría o todo el repertorio de un determinado grupo clasifica como trasgresor. Entonces su creación tiene pocas posibilidades inmediatas de movilidad ascendente e integración al panorama musical cubano.

Espectro temático

Al caracterizar la cultura Rastafari y quién es un Rasta en Cuba, exploré las ideas, valores y símbolos, y presenté aquellos aspectos conceptuales necesarios. La recurrente presencia de estos aspectos en los textos del reggae demuestra que existe una correspondencia entre ideas y formas de expresión. Por lo tanto, teniendo en cuenta que las tendencias de expresión cultural del Rasta cubano se basan en su ideología, se pueden identificar cuatro categorías o ejes temáticos principales que resumen esa cosmogonía:

- Aspectos esotéricos e ideológicos de Rastafari
- Conciencia racial y relaciones raciales
- Marginalización y exclusión social
- Crónicas e intimidades

Ideología y religión

En este sentido, uno de los temas más recurrentes es la asociación polémica del reggae al uso del *Cannabis*. Los simpatizantes de esta música son marcados, a veces injuriados, aunque reclaman que asociar el consumo de la droga al reggae es inexacto pues "no hay que fumar [...] para oír reggae ni ser Rasta".[126] El abuso de la "hierba" (en el DT cubano se dice "yerba") es una preocupación de la sociedad en general; como símbolo sacralizado significativamente por la cultura Rastafari a nivel internacional, se encuentra muy diseminado en todas las sociedades en forma de composiciones tipográficas comunes en atributos diversos como collares, cintos, gorras y representaciones casi logotípicas, de modo que no es "patrimonio" exclusivo de los Rastas. Este uso generalizado, explícito y comercial no es común entre los

[126] Esta y otras opiniones similares fueron recurrentes en algunas conversaciones y debates. (Por ejemplo, Alejandro, 10 de abril de 1998, y el grupo de debate en la casa de Morsa, Habana Vieja, 4 de noviembre de 1998, y otros).

Rastas "religiosos", "filosóficos" y "esnobistas". Inquietud similar argumentaron los rockeros cuando protestaron formalmente ante la prensa cubana contra los spots televisivos de la campaña nacional antidrogas, en los que la música de fondo era ineludiblemente un rock.[127]

Uno de los textos que se hace eco de estas representaciones gráficas y preocupaciones es "El jardinero", interpretado por el grupo Remanente haciendo un uso notable de la historia oral que está detrás de la sacralización de este símbolo y que la sociedad en general desconoce. Muchas son las palabras utilizadas para denominar esta planta, pero su mención explícita con el término "hierba" resalta intencionalmente su carácter 100% natural en relación con otras drogas químicamente procesadas llamadas "duras".[128] En "El jardinero", la imagen de la "hierba" sugiere una asociación directa con el significado del símbolo cuando introduce en el contexto cubano las razones fundamentales de la sacralización, de lo que algunos Rastas practicantes o "creyentes" están convencidos por asociarla a algunos pasajes bíblicos y a sus poderes medicinales, pero trasgrede nuestros códigos sociales por el mero tratamiento del tema, aunque no llega a incitar al uso ni mucho menos al abuso, sino más bien informa, advierte o instruye sobre el carácter natural y las diferencias entre esta planta y las drogas químicamente intervenidas por la mano del hombre. Este ejemplo resalta diferentes actitudes negativas y positivas en cuanto a su uso y abuso (conocerla, buscar el mal *versus* cuidarse del mal).

"El Jardinero"
Te voy a contar, no te sorprendas,
Es sobre hierba, depende de ti
Espero que viva también porque es hierba.

[127] Rodríguez, 2004: "Inquietud de rockeros". Carta escrita a la sección "Acuse de Recibo" del periódico *Juventud Rebelde*, 18 de junio de 2004, p. 3.

[128] Además, el término "hierba" minimiza su tamaño pues se conoce que en condiciones propicias y en un campo abierto puede alcanzar una altura de 6 metros; por lo tanto, no es una simple hierba. (Ver Arturo Alfonso *et al.*: *Plantas Tóxicas*: Editorial Capitán San Luis, Ciudad de la Habana, 2000, p. 41)

Algunos conocen su don
Algunos buscan ese mal sin razón
Algunos se cuidan, respetan
Algunos no entienden, qué pena.
[Estribillo]
Vas a encontrar
Que todos los pueblos conocen de hierba
Y desde la antigüedad
Todos los libros mencionan las hierbas
[Estribillo]
[...]

Otro ejemplo es la versión del famoso éxito homónimo de Peter Tosh[129] "Legalize it", un ejemplo de subversión hacia códigos negativos de conducta social, a diferencia del primero. Este ejemplo es más que la versión de un éxito original de una estrella del reggae jamaicano trasplantado al contexto cubano, es también un reflejo de la falsa idea de que muchos de los problemas sociales que el abuso de la marihuana genera, encontrarán solución en la legalización.

Ambas visiones reflejan la dualidad de interpretaciones de la "hierba" como símbolo en la cultura Rastafari y contrastan presentando dos formas distintas de trasgedir los códigos sociales éticos.

El bábilon, del léxico Rasta cubano, es otra imagen subjetiva, abstracta, influyente en la realización social de los textos del reggae por la importancia que tiene en la conformación de la relación entre el Rasta y el "otro". El texto de "Sistemas" polemiza aún más el concepto de Babilonia con una mención de algunas de sus acepciones: la injusticia, el amor por lo material, a la vez que

[129] Peter Tosh puede ser sin duda uno de los más rebeldes entre los intérpretes del reggae. Al separarse de The Wailers, que compartía con Bob Marley y Bunny Wailer, a principios de los setenta fundó su carrera en solitario articulando en sus composiciones un consistente discurso sobre el orgullo racial, igualdad de derechos, justicia para todos y el libre uso de la marihuana como sacramento, que influyó mucho internacionalmente por la calidad y el éxito de sus mensajes entre los seguidores del reggae. Fue asesinado el 11 de septiembre de 1987.

el orgullo racial y la autoestima como formas de tolerancia ante los prejuicios demuestran cómo la inserción social del Rasta es realizable con reservas, *i. e.*, no está exenta de una actitud asumida desde una posición de resistencia cultural, de subordinación, desde una posición subcultural. En esa canción, interpretada por Manana Reggae, se aprecian no sólo problemas generales, globales, sino experiencias cotidianas. Igualmente, el vocabulario Rasta cede ante la fraseología popular para denotar la adaptabilidad al contexto cubano mediante la reexpresión de sus mensajes con el uso de alguna frase coloquial ampliamente conocida como:

Lo siguiente le responde a Los Van Van
Nadie quiere a nadie, se acabó el querer
Por un poco de dinero te dejan convencer

La filosofía de *peace and love* se presenta en forma de una actitud de "ojo por ojo y diente por diente"; por una parte se adopta una posición defensiva/ofensiva con algunos usando el fuego como símbolo:

Mi estilo es de guerra pa'l que no me comprenda
Seguro *bomboklaat* que no te gusta
Cuando subo a la tarima: ¡*Fire man*!

mientras que se invita a los que simpatizan a rechazar los vicios:

Vamos a unirnos sin egoísmo
Practicamos que el dinero no es sincero
La verdad me la ha enseñado Rastaman

para concluir con una exhortación a compartir la música de Rastafari:

Sí. Baila, olvida tus penas y baila
Olvida tus dolores y baila.
Esta es la música del Jah Rastafari.

Otros textos tratan además los valores éticos positivos del respeto por la naturaleza y la fraternidad. Uno de los símbolos que aluden a este tema es la figura divina de Jah Rastafari o la existencia de un Ser superior, sobrenatural, independientemente de su nombre, cuya función es revelar la verdadera personalidad de los "otros", mentirosos o envidiosos, que, con opiniones y posiciones influyentes, resaltan sólo los aspectos negativos de la cultura Rastafari. Así me explicó Cocoman el texto de "Te conosko" [sic]. En las palabras de Ras Aristafari, del sol "los que le aman ven la luz y los que le menosprecian, solamente sus manchas".[130] Esta canción tuvo mucha aceptación en las presentaciones públicas formales e informales de Cocoman y Félix Morales, un dúo ocasional de ex integrantes de Tierra Verde, antes de vincularse por separado a otros grupos, pero nunca tuvo un espacio en los medios. A pesar de la aceptación, tampoco me consta que ellos hayan intentado insertarla en la radio. Aunque el símbolo aludido aquí es el Jah de la cosmogonía rastafariana, por su contenido, este texto clasifica también como crónicas de la vida diaria.

Asimismo, se reflejan otros temas espirituales tomados de pasajes bíblicos o de la propia ideología de esta cultura como la repatriación física del hombre negro a África: uno de los ejes temáticos medulares de la ideología Rastafari en los años sesenta y setenta en Jamaica. El contenido de "Repatriación" (interpretada por Insurrectos) resulta interesante también porque la necesidad de la repatriación real, física, a África, no surgió durante la investigación como preocupación esencial de los Rastas cubanos más ortodoxos. La identidad cultural alternativa que como Rasta se asume, no suplanta la identidad nacional, pero al ser éste uno de los primeros textos del reggae cubano compuesto en 1996, revela un conocimiento liminar del pensamiento de Marcus Garvey y por lo tanto una identificación con el origen garveyista de la ideología Rastafari. Por consiguiente, el tema de la repatriación surge aquí como necesidad espiritual, o búsqueda de las raíces a través de la religión, a tono con la manera en que el *roots reggae* internacionalmente, sobre todo en el contexto regional —jamaicano—, lo trata en la actualidad.

130 Ariston en la citada presentación en el coloquio con motivo del 54 aniversario de Bob Marley el 6 de febrero de 1999.

“Repatriación”

Aceptemos este tren
Y demos pasos a la vida
Mi saludo es para usted
Y no es ninguna despedida
Aceptemos el amor, este amor
Tú yo somos raíz del creador
Aceptemos el amor
Este amor sin temor
Rastafari es León conquistador
Aceptemos el amor
Y nos veremos en casa
Hagamos la repatriación
Sin diferencia de razas

También hay espacio para temas más universales como “la paz y el amor” (un eslogan muy difundido entre los Rastas) aunque, a juzgar por su contenido, no son trasgresores de códigos dominantes como los ejemplos anteriores, pues apuntan más intencionalmente a una mayor receptividad entre otros grupos y sectores sociales e institucionales. Algunos de estos textos reflejan el amor de pareja y pueden calificarse como románticos; “Ha pasado tanto tiempo”, *e. g.*, interpretada por Remanente, es un ejemplo de un texto que se concibió como canción para ampliar el espectro temático del grupo y convocar a públicos no Rastas; no es un texto trasgresor, sino que busca ganar popularidad, para lo cual recurre a fórmulas comerciales.

Ha pasado tanto tiempo
Que de ti ya ni me acuerdo
Son momentos de la vida
Que solemos olvidar
Borraré de aquel pasado
Aquellos besos que me dabas
Nunca más sabrás de mí
Ni yo me acordaré de ti

Conciencia racial y relaciones raciales

La problemática racial es otro tema muy recurrente y relevante. Casi todos los Rastas, los consumidores de la música reggae, autores o intérpretes, afirmaron de una u otra manera estar fuertemente vinculados e identificados con el patrimonio cultural africano, y conscientes de los flagelos a los que la raza negra ha estado históricamente sometida (la trata de negros, la esclavitud y su amplia gama de consecuencias psicosociales como los prejuicios, la frustración, y otras), de ahí que algunos cultores del reggae crean importante reflejar sus estados de ánimo, sus realidades y experiencias en los textos para brindar una imagen de la vida diaria confiable, que represente fielmente sus intereses, su filiación racial y los conflictos resultantes en la contemporaneidad.

En un capítulo anterior presenté algunos criterios que demuestran la importancia de la raíz afro de la cultura cubana en la definición del Rastafari cubano; el orgullo racial y la heterogeneidad ante la homogeneidad de la cultura nacional es la esencia de estas ideas retomadas en los textos del reggae hecho por los Rastas y simpatizantes. Las letras alrededor de este eje temático no son nuevas en la música popular cubana; lo que marca la oportuna diferencia aquí es la superación de los tabúes para tratar el tema racial de manera más abierta y desinhibida, con la creación de situaciones y personajes que reflejan la existencia de los prejuicios raciales en Cuba y sus consecuencias. Los diversos puntos de vista con que los grupos y solistas construyen su discurso sobre la racialidad se corresponden con las disímiles experiencias que varían de una persona a otra.

Debido al auge del reggae a partir de 1995 y su consecuente socialización en otros grupos y sectores, un número creciente de personas se asomaba a la cosmovisión rastafariana, y de ellos, un número más reducido comprendía y se identificaba con los mensajes positivos y por lo tanto disminuían sus prejuicios negativos hacia Rastafari. Sin embargo, en la sociedad en general, aún la cultura Rasta y los "moñudos" son objetos de percepciones y prejuicios negativos. Si tenemos en cuenta que el componente afro en Rastafari es esencial, se explica que algunos Rasta juzguen esos prejuicios como actos de discriminación y desconocimiento de la raíz africana.

"África, la musa y yo", interpretado por Paso Firme, toma como eje central el reconocimiento de la importancia del patrimonio cultural africano y la necesidad de ampliar el conocimiento de la historia y la cultura del llamado "continente madre". África se utiliza como símbolo de raíces ancestrales que constituyen la nueva identidad cultural en la que el prefijo "afro" ocupa un lugar primordial, aunque enfatiza que cualquier esfuerzo nunca es suficiente:

Expreso lo que siento y no me detengo porque es hoy
Un afrocubano 100% al nivel
Construyo líricas baratas para decirte todo lo que puedo hacer
Mi mente está conectada a salvar a la África *FIRE*!
Esto da pa´ más, mucho mucho más, África mía...

Es notable apreciar cómo a través del reggae y Rastafari, algunos jóvenes distinguen y se identifican con la herencia africana de nuestra identidad, no sólo a través del vestuario, sino de sus ideas. El tratamiento de estos temas se corresponde directamente con la similar importancia que los textos del rap cubano trasgresor ("*underground*" en la terminología del hip-hop) le dan al tema negro en la lucha contra los prejuicios raciales.

"Cimarrón" rescata de la memoria histórica, enriquecida de manera autodidacta y matizada por el lenguaje de la juventud, las consecuencias y abusos inolvidables de la esclavitud del negro. Este texto, que fue muy exitoso en las presentaciones de Ras Lázaro, autor e intérprete, sugiere subjetividades interpretativas importantes trasmitidas con un lenguaje juvenil, como la sumisión, la desconsideración del trabajo humano y la deslealtad entre el negro mayoral y el negro esclavo, todas vistas desde la contemporaneidad de la ciudad, lo cual nos remite a la jerarquización social de clases y razas que la historia colonial estableció en Cuba.

Cuando duelen
Los recuerdos no me dejan descansar
El trabajo forzado a la voz del mayoral
Ratas inmundas llenas de enfermedad
El látigo en el aire olvidando lealtad
Corre nattydrela, busca libertad
Corre cimarrón, te digo, sal de la ciudad
Corre nattydrela, busca libertad
Desmaya los problemas, es hora de pensar
¡Corre, corre, corre cimarrón!
¡Corre, corre, corre cimarrón!
[...]

Otra visión del mismo eje temático se presenta desde la perspectiva del hip-hop. El rap y el reggae se combinan por la comunidad de intereses y de características (marginales, antirracistas, orgullo racial, etcétera) de los raperos y los Rastas, que a veces

Ras Lázaro actúa uno de sus poemas en la Casa de África, Habana Vieja, el 26 de mayo de 2006.

coinciden en la misma persona.[131] Temas como "Hiphop para Jah", de Cocoman; "Hiphop reggae", de Paso Firme, y "Excepción de Raza", de Militar Dread (alias *San Miguel*), ilustran esta relación a través de la cual se erigen paradigmas comunes para el reconocimiento del orgullo racial y la herencia africana. La famosa controversia sobre relaciones raciales en la sociedad protagonizada por Molano del Clan 537 y Hoyo Colorao, creadores de los éxitos "¿Quién tiró la tiza?" y la "Respuesta a ¿Quién tiró la tiza?" respectivamente, ilustra también esta interrelación entre el rap y el reggae, a pesar de que ellos están institucionalizados como raperos. Ambos números se escucharon en todas las fiestas, discotecas, etcétera, pero no estuvieron nunca ni en la radio ni la televisión, o sea, se propagaron popularmente desde la marginalidad y la trasgresión.

El siguiente fragmento de "Canta Rastaman", de Hijos de Israel, de Cienfuegos, un grupo que ha adaptado al contexto cubano la casa de Nyabinghi de Jamaica, ratifica la importancia de la raíz africana para el Rasta, quien no por ello reniega de los demás elementos de su cubanía, sino que los incorpora a una mezcla identitaria beneficiosa; pero no olvida el origen del estoicismo de los antecesores.

> Sin avergonzarme de mi trascendencia africana
> Tengo mi religión yoruba afrocubana
> Esta es la historia de mi raza
> [...]
> En este mundo yo he vivido
> Tratando de ocultar
> El sufrimiento de mis seres más queridos
> Es la piel blanca que ha acabado con la negra
> En la tierra
> Negro con blanco ya se dan la mano
> [...]

[131] También se combinan en la propia Agencia Cubana de Rap que ha dado refugio institucional a algunos de los raperos que ahora hacen reggae/reggaetón y viceversa. Sekuo, de Anónimo Consejo, y Militar Dread me expresaron que no tienen preferencias entre el rap y el reggae para expresar un mensaje; son algunos de los Rastas que ilustran esta interconectividad.

Marginalidad y relaciones sociales

Esta categoría incluye textos sobre temas como la envidia, la lujuria, la inserción social, los celos, la discriminación sexual, la subordinación, las relaciones de género y otros que son parte de las experiencias cotidianas, y es por ello el más amplio de los cuatro ejes temáticos diseñados.

El texto de "Battyman" es una abierta demostración de intolerancia chovinista, influenciada por el férreo machismo caribeño, hacia los hombres homosexuales calificados en el texto como seres "innaturales". El título proviene del equivalente de homosexual o *gay* en el *patois* jamaicano. Esto es asumido de la misma manera en la cultura Rastafari cubana, en la que el hombre se autodenomina "cabeza creadora", cabeza de una familia monogámica (e incluso endogámica, ya que en algunos casos se han observado uniones consensuales exclusivamente entre Rastas, cuyos hijos son educados por sus padres según la ideología Rasta). Esta actitud no está muy lejana del machismo cubano.

> Fuego a los chichiman, eso es innatural
> Fuego a los chichiman, degeneran la humanidad
> Él no te formó, tú eres invención
> Mira chichiman, el fuego te llegó
> Bomba y *bye*, tú de chichiman
> Dando lo material aquí no las vas a cambiar
> Bomba y *bye*, tú de chichiman
> Hombre y mujer, eso y nada más
> Fuego a los chichi, los vamos a quemar
> Esa es la plaga que debemos acabar
> Fuego a los batty, no los quiero ver más
> Battyman, chicha, eso de igual
> Pues todo ello no es natural
> [...]

Además, este texto es interpretado por Militar Dread, cuyo nombre artístico y vestuario, a veces verde olivo, en escena son por sí solos machistas y trasgresores.

Por otra parte, en "Señor oficial", Candyman no se identifica como Rasta, pero sí se considera "hermano" de éstos. El uso extendido y reiterado del DT demuestra esta conexión y refuerza el carácter trasgresor de la insubordinación como tema central del texto.

Déjeme explicar y también decirle
Lo que yo pienso y no voy a mentirle
Pues quiero que me aclare en esta conversación
Por qué hay tantos prejuicios con los raperos en mi nación
Señor oficial
No quiero que mal siempre miren
Señor oficial
Al Rastafari que en la calle se exhibe
Que anda por el parque y se pone a cantar
Por gusto viene el bábilon y los manda a callar
Sabiendo que están cantando para su vida alegrar.
[...]

La empatía de los Rastas hacia los raperos, y de éstos hacia el reggae, tiene sus raíces comunes no sólo en el tratamiento de la problemática racial, sino en compartir el mismo sustrato de la marginalidad en las relaciones sociales y las respuestas contestatarias. A propósito de esta relación entre el hip-hop y el reggae, la trasgresión es bastante explícita también en esta categoría. El tema mencionado en el epígrafe que encabeza el capítulo anterior, "No juego", tuvo una versión en la que se unieron las voces de Remanente con el grupo de rap Justicia para interpretar el texto de "Yo no voy a parar".

[...]
¿Tú sabes quién soy?
Yo no sé quién eres
No me pongan freno, sé que nadie puede
Trabajo independiente, atájame si puedes
Tú sabes que yo no voy a dejar de decir
Yo no vo'a parar porque te dé la gana a ti

No soy el reflejo de lo que te pasa ti
Contra la corriente lucho yo por mí y por ti
[...]

Como en otros ejemplos, este texto también realiza parte de su significado contestatario a través del uso del lenguaje coloquial, directo e irreverente.

La amplitud temática de esta categoría se evidencia al tener en cuenta que se pueden incluir en el extremo popular de este análisis textos como los mencionados anteriormente "Marilú" y "I like the reggae", que no tipifican las preocupaciones temáticas fundamentales del reggae de las raíces, y de aquellos grupos y solistas que defienden el reggae. En realidad existen otros temas que no trasgreden códigos dominantes, pero tampoco se insertan en esa vertiente esencialmente comercial que no trasmite un mensaje conciente, sino que difunden una interpretación del mundo relacionada con la cosmovisión Rasta. Un ejemplo de esto es "Ecosistemas", interpretado por Manana Reggae Band, que imagina un mundo destruido para crear conciencia en torno a la preservación de la vida en la Tierra.

Cómo será un hombre con raíces
Lo mismo que en la tierra
Si se le calienta el sol
Y su arco iris se encierra
En caminos torcidos
Cómo será un hombre con raíces
Destruido por la guerra
Cuando las aves emigran al sur
Y el sol se hunde en la tierra
Cómo será un hombre con raíces
Andando en tierra seca
Deshojado sin una mano abierta
Que se extienda.
[...]

Crónicas e intimidades

Las preocupaciones del reggae hecho por los Rastas y simpatizantes de esta cultura van más allá de los tres ejes temáticos anteriormente mencionados. Aspectos diversos de la cultura nacional y de la individualidad propia de cada autor son reflejados con especial interés, para contrarrestar, aunque sin resultados notables aún, los efectos nocivos del reggaetón fácil y en extremo comercial que se ha extendido desmedidamente.

En esta categoría, el texto se aparta un poco del carácter contestatario que en mayor medida se aprecia en los tres ejes temáticos anteriores. Los temas no portan un mensaje explícitamente trasgresor, pero forman parte de la cosmogonía del Rasta, como el "Homenaje" a Bob Marley, interpretado por Joel Machín y Manana Reggae, donde el reggae y los *dreadlocks* como símbolos aludidos, adquieren una función menos microsocial, de mayor alcance, puntos de partida para llegar al conocimiento más profundo de la cultura Rastafari.

> Es como un sol del mañana
> Y más si tiene su valor antiguo
> Frases quedan en tantas calles
> Lo muerto está muy vivo
> En este sol del Caribe
> Existe tu ritmo subiendo
> Yo vi un muchacho con los *dreadlocks*
> Como tú, Bob Marley, yo también lo siento
> Porque te has quedado en mi pensamiento

Otros textos no están relacionados con esa cosmogonía, sino con las inquietudes de un reggae cubano que aportan al texto algo más que frases contextualizadoras de lo Rasta, se aprecian en su lugar situaciones alusivas a lo cubano dentro del Rasta, más cercanas a lo nacional. El siguiente texto es casualmente otro homenaje, este se titula "La guarachera", compuesto e interpretado por Elioman, uno de los más activos en la difusión de sus propias grabaciones informales, aunque no tanto en los conciertos.

Por si tú no lo sabes
Tú eres hermosa entre muchas mujeres
Eres como la miel de abeja
Que ha sido extraída de todas las flores
Eres tú bella, morena
Bendita tú seas entre todas las mujeres
[...]
Azúcar! Hay que quitarse el sombrero
Así decía la guarachera, así decía mi cumbanchera

Es evidente que se trata de Celia Cruz, aunque en todo el texto no se menciona su nombre. El uso de los símbolos Rastas es limitado o nulo; más bien se aprecian imágenes del contexto cultural nacional que constituyen símbolos de lo cubano incorporados a la ideología Rasta, no de la cultura Rasta *per se*. En este caso, la trasgresión se aprecia por ejemplo en la intencionalidad en resaltar cualidades como la belleza espiritual femenina en correspondencia con el color de la piel, la mujer negra representada por una figura que por razones políticas no ocupa un espacio en los medios de difusión nacionales.

Otro ejemplo interesante es "A pie", un texto sencillo que alude a un medio de transporte muy popular a partir del inicio del Período Especial. A manera de crónica social autobiográfica acerca del robo de una bicicleta, tratado con ligeras pinceladas de humor, sirve de pretexto para presentar la rutina diaria de un joven común en esos difíciles años noventa, e invita a reflexionar sobre el valor sentimental de algunos objetos materiales. Su autor, Felipe Cárdenas, voz líder del grupo Remanente, me contó que se trata de una experiencia real y personal.

Día y temprano es, ya me desperté
Va saliendo el sol y hay que continuar
Rezo primero siempre antes de desayunar
Hoy tengo un plan en mente
Algo me falta. ¿Qué será?
¡Ay! ¡Ay! mi bicicleta.
Y ésa no es mía. Ésa es de mi papá.

Nadie ha visto nada, nadie sabe nada, No.
Cuando él me pregunte, ¿qué voy a decir?
Yo voy a esperar una señal
Y esté donde esté la voy a buscar.

Otros textos presentan la amalgama de lo Rasta con lo popular nacional a través de la música como símbolo común, o sea haciendo explícito en los textos la mezcla del reggae con la música popular cubana. Alexander, director de Paso Firme, ve en esta forma de expresión una necesidad ineludible si se quiere llamar la atención de las personas para quienes el reggae es un ritmo desconocido.[132] Uno de sus estribillos que ya es de amplio conocimiento entre los fans de su grupo dice: "Dime si tú quieres bailar en La Habana / Reggae con la música cubana."

En este capítulo analizo sólo los textos del reggae, por ello no comento obras como la versión instrumental que hizo el grupo Insurrectos en el año 2000 de la obra "El Cumbanchero" en aras de iniciar en su repertorio esa línea de fusión entre el sistema Rasta-reggae y el acervo cultural cubano. También se destaca la excelente versión que respeta la letra del clásico bolero "Alma mía", que el grupo Tierra Verde en su tercera época realizó recientemente y grabó en tiempo de reggae, aunque no me consta que haya sido difundida en los medios. Otro ejemplo de la integración de los textos del reggae con el contexto cubano es la versión de "Lágrimas Negras" y la mezcla "Lágrimas Negras/No Woman No Cry", del grupo Yerbawena[133] en un CD grabado por producciones Abdala en 2001. Si bien estos dos últimos ejemplos no presentan textos de nueva creación y apuntan hacia lo popular cubano, el uso del reggae con textos clásicos del cancionero nacional demuestra un interés en la ruptura de esquemas;

[132] Entrevista con Alexander el 10 de agosto de 2004.

[133] El nombre del grupo recuerda el significado de "yerba", pero si obviamos el cambio de la ortografía y la alusión al símbolo Rasta, el grupo se mueve entre dos aguas porque se convierte en símbolo de cubanía por su uso generalizado de la yerbabuena en el mojito de la coctelería nacional. El *medley* fue interpretado en uno de los conciertos de la feria Cubadisco el 22 de mayo de 2001. El grupo se identifica como "de fusión" —reggae, otros ritmos caribeños, rock and roll y música tradicional cubana, fundamentalmente.

esta influencia ha alcanzado a otros grupos cuyo repertorio no es el reggae. Recuérdese, por ejemplo, que pocos meses después del *medley* "Lágrimas Negras/No Woman No Cry", la Charanga Habanera presentó su disco *El Charanguero Mayor* con una versión de "No Woman No Cry". Por consiguiente, los intérpretes del reggae expresan su cubanía de otras maneras y existe además la "invasión" del reggae en el repertorio de grupos sin un compromiso explícito con la ideología Rastafari.

¿Un balance?

Lo popular y lo trasgresor no son dos extremos excluyentes ni contradictorios en la breve evolución del reggae cubano. Por ello, no puede establecerse siempre una correspondencia directa entre los tipos de reggae y los mensajes presentes, ya que estos extremos y las posiciones intermedias pueden coexistir en un mismo grupo, en un mismo intérprete o en un mismo autor. Podemos comparar por ejemplo "No juego" con "Una frase feliz", que pueden clasificarse dentro del *roots*, y son del mismo compositor y las interpreta el mismo grupo Remanente; la primera es incuestionablemente una declaración de principios, la segunda es una advertencia sobre los riesgos del VIH/SIDA, y por lo tanto su mensaje de salud y optimismo van dirigidos a un público mayor. También compárese en este mismo sentido "Señor oficial" con "Marilú", de Candyman, en el caso del tipo *dancehall*, poco frecuente entre los Rastas y simpatizantes del *roots* ; o incluso "África, la musa y yo" con "Ya llegó la noche", un reggae melodioso dirigido a encaminar una vida nocturna sana entre la juventud, ambas interpretadas por Paso Firme con elementos de fusión.

> Viene con dos cofres
> Donde hay bien y mal, donde hay bien y mal
> Sí. Puedes caminar siempre sabiendo
> Cuál es tu lugar, cuál es mi lugar

Pues te puedes encontrar
Gente viviendo para engañar
Alguien queriéndote llevar
A oscuras sombras de la maldad
Muchos mostrando vanidad
Volviendo jungla esta ciudad
Pero tú sólo quieres noche

La única correspondencia posible es que los textos del *cool reggae* o reggae melodioso son todos textos populares —entendida la popularidad como asimilación de las pautas comerciales en boga, como ya dijimos— mientras que los toques *nyabinghi* son todos textos trasgresores.

En los tres primeros ejes temáticos se evidencia el uso imprescindible del vocabulario Rasta cubano, pero no en los textos del que denomino "crónicas e intimidades". Si un vocabulario específico es uno de los rasgos de una subcultura (Locher, 1999:113), es evidente que el reggae, a través de sus textos, constituye en la actualidad una tendencia de expresión cultural alternativa, con una cohesión temática complementada por el uso del lenguaje Rasta (DT) en la vida cotidiana. En los textos se aprecia una gran cantidad de adaptaciones del vocabulario Rasta al contexto cubano. En un análisis sólo musical del reggae, estos elementos, que sí tienen una relación directa con la esencia de la cultura Rastafari, no adquieren su total dimensión, tal como se revela en un análisis del contenido.

Por último, el *roots reggae* nace y tiende a mantenerse en la marginalidad. Aunque las causas de esto han sido sólo parcialmente exploradas, puede establecerse una relación de causa y efecto entre la trasgresión lírica en los ejes temáticos ejemplificados y las pocas oportunidades de movilidad social ascendente a través de los medios, no sólo por el carácter trasgresor de la mayoría de los temas reflejados, sino por la posición de resistencia a muchas concesiones que lleven al texto hacia la comercialización desmedida, irrespetuosa o hacia la banalidad y la vulgaridad. Algunos de estos autores e intérpretes, no obstante, pretenden ser populares, *i. e.*, tener más poder de convocatoria y acceder a los medios de comunicación, para ello amplían sus prioridades temáticas sin llegar a afectar sus compromisos o su armonía con la ideología Rastafari. Así, lo trasgresor radica en la transmisión de un mensaje que representa consecuentemente las experiencias del individuo como resultado de mantener una identidad microcultural que contraviene los códigos socialmente aceptados como dominantes y nacionales, mientras lo popular radica en la transmisión/recepción de un mensaje social más amplio, que utiliza o interactúa en mayor o menor grado con los mismos símbolos subculturales del Rasta, o sea, de forma también alternativa, pero con una convocatoria y respuesta más amplia. El contenido de ese mensaje emana fundamentalmente de la simbología rastafariana; o sea, de las concepciones sociorreligiosas, de las relaciones del individuo con el medio social circundante y del conjunto de valores éticos y estéticos que adquieren forma ligados a la condición de cubano. El reggae hecho por los Rastas o simpatizantes con aspiraciones de popularidad no cae en la banalidad extrema ni en la comercialización que caracteriza al reggaetón o el reggae hecho por aquellos sin compromiso alguno con la cultura Rastafari.

Consideraciones finales

La cultura Rastafari y el conjunto de símbolos, atributos y valores que la conforman son indudablemente una contribución notable del Caribe a la condición cultural de la globalización. En su difusión mundial, se han registrado cambios pero se mantiene lo esencial: el carácter de resistencia, un conjunto de ideas centrales y la observancia de varios símbolos. Una de las transformaciones más importantes está en el concepto mismo. Internacionalmente, hoy no es un movimiento, como se escucha con frecuencia. Es una cultura con características de "movimiento acéfalo" (Chevannes, 1998a:31), que no se ha organizado institucionalmente con intenciones de liderazgo político, sino que se manifiesta de manera heterogénea, a niveles individual y de grupo, con el uso de símbolos, iconos e imágenes, un lenguaje específico y peculiares estilos de vida.

En Cuba, Rastafari es un sistema cultural que rige un modo de vida articulado por las relaciones entre su ideología las ideas éticas, estéticas o religiosas: lo que el Rasta profesa y piensa— y las diversas formas de la cultura material y espiritual, fundamentalmente las de carácter artístico-creativo, a través de las cuales se expresa. Este sistema abarca un sector pequeño de la sociedad cubana, mayoritariamente joven, negro y marginado. No es solamente un conjunto de ideas religiosas o seudorreligiosas; una forma o estilo de vida del que la música, las artes visuales y el lenguaje son partes; tampoco es sólo esa cultura trasgresora o resistente que presiona desde abajo y casi inadvertidamente a una cultura dominante o hegemónica. Es una simbiosis en la que *todos* estos elementos interactúan entre sí y con la sociedad.

En algunas ocasiones utilicé la palabra "subcultura" para calificar Rastafari porque se trata de existir en condiciones de subordinación, de una imputada inferioridad, de sobrevivir en ámbitos culturales a veces marginados, o apropiados, inclusive de manera oportunista, por las tendencias dominantes, acaparadas en las ideas de tradición o de unidad nacional. Pero incluso así esta no deja de estar situada en la periferia, sin ser asimilada por el etnosnación. En esa posición se encuentra la cultura Rastafari a nivel global, con la excepción de Jamaica. Sin embargo, no es el término que defiendo en la descripción del Rastafari cubano a pesar de que el sema "sub" resalta la trasgresión, la marginalidad, la resistencia cultural que le otorgan un carácter contestatario esencial.

Rastafari es una tendencia cultural alternativa que se construye bajo los efectos de la resistencia cultural, por un lado, y, por el otro, de procesos de transformación durante su inserción y desarrollo en la sociedad, donde el discurso de la otredad desempeña el papel más importante. De esta manera, sí existe una relación identidad-trasgresión apreciable en los elementos expresivos, la simbología y los valores que caracterizan a esta manifestación. En Jamaica, sin duda alguna, forma parte de la cultura popular, es un elemento esencial de la cultura nacional tradicional. En Cuba, no lo es, sino que subsiste aún como alternativa cultural. Lo que se va constituyendo en popular, en capital simbólico de uso progresivamente masivo y, por ende, descontextualizado, dentro de nuestro espacio, son los símbolos y atributos que la representan a nivel personal y en algunos grupos sociales, por cuanto se reproducen, se comercializan, se generalizan, se reinterpretan a partir de las experiencias de la cotidianidad y de las raíces de cada individuo. De modo que distingo entre Rastafari como cultura popular y Rastafari como cultura alternativa.

En el estudio del caso cubano, puede generalizarse que existe en la actualidad una cultura Rastafari típicamente cubana sustentada por una incipiente pero notable producción cultural creada por practicantes o simpatizantes. Existen dos elementos para caracterizar el Rastafari cubano actual:

a. es ante todo una expresión cultural creativa que no puede desvincularse de los conceptos de clase y raza, ya que aún es marginal y se desarrolla fundamentalmente en sectores de descendencia afrocubana, aunque a medida que sus símbolos y atributos se arraigan y se generalizan, van perdiendo los vínculos con la cuestión racial y la noción de clase.
b. Rastafari ha llegado a masificarse entre sectores diferentes de aquellos que le dieron origen, y utilizan sus símbolos y atributos (vestuario, imagen, reggae, etcétera) reproduciéndolos conscientemente o como esnobismo.

En cuanto al texto, el reggae hecho en Cuba refleja una gama de preocupaciones temáticas y adquiere especial trascendencia dada su aceptación, sobre todo, entre los Rastas, y, eventualmente, entre otros grupos y sectores de la sociedad a través de tres vías de comunicación en este orden de prioridad: a) principalmente a través de las presentaciones en vivo, b) en menor escala mediante las grabaciones informales y c) en grado ínfimo por la difusión mediática.

Por último, la necesidad de socialización y el reconocimiento de la cultura Rastafari y sus formas de expresión no se refieren aquí a que un Rasta pertenezca a un grupo de teatro o de baile como parte de su trabajo, no se trata de su inserción social como obrero o intelectual (como en la realidad sucede); tampoco se refiere sólo a que alguien con *dreadlocks* aparezca en los medios de información representando al Rasta (como en la película *La vida es silbar*, o el programa televisivo A Romper el Coco); sino se trata más bien de que la obra creativa del Rasta sea de su propia inspiración o creación, de que refleje en ella y con libertad la cosmogonía de sus ideas, símbolos y atributos en general, e incorpore también en ocasiones elementos del imaginario popular (creencias religiosas diversas, hábitos, costumbres y otros elementos) a tono con la diversidad de nuestra cubanía y en función de su propia legitimación a través de la defensa de la simbología y de los valores *positivos* de su identidad desde la posición de la identidad nacional cubana.

Glosario rasta cubano*

Abuna: *n* **1**. Patriarca o líder de la Iglesia Ortodoxa Etiope. **2**. Una de las casas de Rastafari.

Aire = ***Irie***: *n* Un estado de ánimo positivo y alegre en actividades de socialización.

Atumpá: *n* Tambor de tamaño mediano utilizado también por músicos Rastas. Es un vocablo onomatopéyico que imita el latido del corazón.

Bábilon: *n* o **Babilonia** [babi'lonia] *n* **1**. El que oprime imponiendo su autoridad o cargo./ **2**. Policía /*Por ahí viene un bábilon. /Hay un bábilon parado en la esquina de la escuela.*/ **3**. Toda la influencia negativa e instituciones que se oponen a la realización de los Rastas en la vida en sociedad. /*Tenemos que vivir en Babilonia sin ser parte de ella, Babilonia está del carajo.*

Background: [bak'graun] *n* Dub, instrumental o música sin voz para acompañar la letra de la canción o la improvisación del cantante.

* El vocabulario incluido aquí es el corpus de un valioso trabajo de investigación comenzado en la Ciudad de la Habana por los estudiantes Harold Pérez Corbo, Líber Frómeta Reyes y Boris Suárez, y enriquecido y finalmente defendido como tesis degrado en junio de 2002 por los estudiantes Yiliana Mompellier Vázquez, David Vázquez Anderez y Omar Granados González; todos de inglés en la Facultad de Lenguas Extranjeras de la Universidad de La Habana. Este fue el segundo trabajo de curso de este equipo tutorado por el autor. Su inclusión aquí responde a que vocablos como estos son frecuentes en los textos del reggae y en las conversaciones de algunos Rastas.

Todo el corpus y los ejemplos de texto citados en itálicas fueron recogidos en el mencionado trabajo de campo en la Ciudad de la Habana y provienen de los testimonios orales ofrecidos en los grupos de debate, de la observación participante en los conciertos de reggae y otras actividades de la vida cotidiana. También procede de algunas fuentes escritas como diarios personales, libretas de anotaciones facilitadas por algunos Rastas y los dos números de *El León de Cobre. Revista de I'n'I para los Hermanos y Hermanas* difundidos informalmente en Cuba hasta ese momento. Todos los vocablos no son ampliamente utilizados, pero sí fueron registrados al menos en una ocasión por el mencionado equipo. La ortografía utilizada responde a la pronunciación registrada.

Este glosario fue también la base de datos utilizada para las consideraciones a las que arriba el artículo "Imported Topics with Foreign Vocabularies: Dread Talk, the Cuban Connection" de Velma Pollard y el autor, publicado en la revista *Small Axe* (nro. 19, febrero, 2006, Indiana University Press). La transcripción fonética que aparece entre corchetes proviene de la versión original —en inglés— y trata de recrear cómo el Rasta cubano pronuncia estas palabras y frases.

Battyman: [batI'man] *n* Hombre homosexual. /*Fuego a los batimanes.*

Binghi: ['bIngI] *n* **1**. Tipo de reunión Rasta donde sólo se toca la música con instrumentos de percusión manufacturados. También se le considera un género musical. /*Hay tremendo binghi el lunes en casa de Lazarito el yanqui.*/ **2**. Principal celebración de los Rastas más ortodoxos para la meditación espiritual, con toque de tambores y usualmente el encendido de una fogata luego de una caminata o peregrinación a las montañas.

Binghiman: ['bIngIman] *n* ver **nyabinghy**.

Bobo Ashanti: [boboa' chantI] o[bobo't?antI] *n* Actualmente una de las denominaciones o casas de Rastafari en Jamaica; originalmente significaba "pastor": en la actualidad es un tipo de guerrero que se cubre la cabeza con una banda o bufanda de tela y usan ropa a rayas. Se dice que eran traficantes de drogas, convictos, etcétera que luego se reformaron como Bobo Ashanti /*Todo el mundo respeta a los Bobo Ashanti.*

Bomboklaat: [bonboklat] *n* En Jamaica es la almohadilla íntima femenina. Sin embargo, en el lenguaje vulgar, obsceno y agresivo se utiliza también para ofender rudamente a alguien. No es muy común en el vocabulario rasta cubano, sólo se repite frecuentemente en los textos del reggae como imitación del lenguaje jamaicano.

Bonche: *n* Fiesta, celebración o reunión organizada y concurrida mayormente por los Rastas cubanos, otros jóvenes y turistas donde el centro es la música reggae.

Bongoman: ['bongoman] *n* Se refiere al que toca cualquiera de los instrumentos de percusión.

Cabeza creadora: *n* **1**. El hombre con la habilidad de trabajar y crear 2. Cabeza de familia.

Caja: *n* El mayor de los instrumentos de percusión. Los Rastas que lo tocan fuertemente creen que el sonido y la fuerza de la vibración del instrumento disminuyen con la presencia de la mujer. / *La caja no suena igual si hay alguna hermana cerca.*

Camino recto: *n* Equivalencia directa de *right path*; según los principios Rastas, es el camino a seguir hacia la vida. Se cree que la mala reputación que generalmente tiene rastafari en Cuba se debe a la "rastitución". / *No son Rastas de verdad, deberían seguir el camino recto.*

Chali = ***Chalice***: [chalI] *n* Pipa usada por los hombres para fumar.

Cool running: [kul 'RonIn] Saludo característico entre los angloparlantes del Caribe, manera de preguntar por algo. /*¿Cómo está la cosa? ¿Cool running?*

Corona = ***Crown***: *n* El estilo del cabello que forman los *dreadlocks* cortos al comenzar a crecer y que se asemeja a la melena del león. /*Jah me dijo que me pusiera la corona y me la puse.*

Dreadlocks: ['dredloks] *n* **1**. Estilo del cabello que constituye el rasgo principal de la cultura Rasta. El pelo crece y se entreteje naturalmente ayudado sólo por productos extraídos de algunos vegetales. Ver **Drela**.

Drela: *n* **1**. Un Rasta de actividades socialmente reprobables e ilegales; término usado por los verdaderos Rastas para diferenciarse de los drelas. /*Esos son los drelas porque su comportamiento difiere del tema esencial de la filosofía Rasta "Amor y Paz"./ Los drelas son los lobos vestidos de ovejas.*/ **2**. *Dreadlocks* torcidos artificialmente a mano, con los dedos, y que crecen por lo tanto más finos que los dreadlocks crecidos naturalmente. **3**. Ver **Corona**.

Dub, música: *n* Música instrumental basada en el ritmo del reggae; efecto y resultado de la eliminación de las voces a una grabación.

Dub, poesía: *n* Expresión poética jamaicana, que surgió a inicios de los setenta basada en la música dub, con un mensaje radical, político y revolucionario.

Dunsa: *n* Dinero. /*El dunsa es cosa de Babilonia, hermano. Muerte es vivir en sufrimiento, dunsa es vivir sin libertad. Dunsa es fiel siervo y cruel amo.*

El más I = ***The most I***: [el más aI] *n* Dios.

Elder: ['eldeR] *n* (pl. elderes) Los Rastas más experimentados.

Energía positiva: Ver **Vibración.**

Espíritu arriba = ***upful spirit***: *adj* Frase que denota un estado de ánimo positivo, bueno.

Esplí = ***spliff***: [es 'plI] *n* Un cigarro de gran tamaño.

Far eye: [fa'RaI] *n* Sabiduría espiritual de los Rastas, la habilidad de tener en cuenta el futuro.

Father: ['fada] *n* Dios.

Fire burn: ['faya beRn] *v* o *interj* Quemar con el fuego purificador. (ver **Fuego**)

Fuego = ***fire***: ['faya] *n* o *interj* Símbolo que expresa desacuerdo o descontento. Distintivo de lucha contra aspectos inaceptables o reprobables. /*Yo le doy fire al homosexualismo.*

Fuego al bábilon: *interj* Proviene del inglés "*Burn down Babylon*"; expresión rebelde y desafiante.

Fuego fundamental: *n* Fuego encendido en algunas celebraciones para "derretir y destruir el mal", "limpiar y purificar las peticiones oraciones (***Ises***)" o para comenzar algo nuevo. Tambien se denomina "fuego fundamento".

Ganja: ['gandya] *n Cannabis Sativa*, planta sacralizada y utilizada con propósitos medicinales y espirituales a nivel mundial entre los Rastas. En Cuba, su uso es muy limitado y por lo general poco admitido públicamente por los Rastas.

Ganjaman: ['gandyaman] *n* Usado despectiva o coloquialmente según contexto para referirse al Rasta. /*Algunos policías nos toman como locos. Otros nos llaman ganjaman*. (Ver **Jahman**.)

Gentil = *Gentile*: *n* y *adj* Aplícase a los que no son Rastas como extensión del término originalmente hebreo.

Gorro: *n* Gorra grande de tela, de piel o tejida usada para cubrir los *dreadlocks*.

Hard: ['haR] *adj* **1**. Experto; **2**. Excelente **3**. Hábil en alguna actividad. (Ver **Muela**.)

Hermana (de) raíz: *n* ver **Hermano** (a). /*Yo soy su hermana de raíz.*

Hermano(a) = **Brother** [brodeR] o **Sister**: [sisteR] *n* Para el Rasta creyente es una persona con quien se comparte la vida y la espiritualidad.

I: [aI] *n* Se refiere a Haile Selassie I o la personificación de Cristo el Salvador en su carácter de Rey sobre la tierra; su pronunciación proviene del pronombre de primera persona en singular en inglés. Entre los Rastas cubanos equivale a Dios. /*Yo sé que I me protege a donde quiera que voy.*

I and I, I'n'I: [ayanai] **Yo y Yo** *interj* **1**. "Yo y Dios". **2**. También se utiliza como primera persona del plural "nosotros".

Iditar: [aIdi'taR o idi'taR] *v* Meditar profundamente por razones espirituales o para el relajamiento.

Inidad: [aIni-'dad o ini-'dad] *n* Unidad.

Ipremacía: [aIprema'cia o iprema'cia] *n* Supremacía.

Ises: ['aIses] *n* Alabanzas. /*Eleven sus ises al cielo.*

I-storia: [is'toria] *n* Historia.

Ital: [i'tal] *n* Comida vegetariana. /*Ital es la comida preferida de los Rastas./* Se cree que la carne, en general, es nociva para el organismo, y que comer animales vivos es atentar contra la naturaleza, mientras que los vegetales son alimentos de gran riqueza. **2**. *adj* vital.

Ivina: [i'bina] *adj* **1**. Divina. /*Su Ivina Majestad./* **2**. Maravilloso, bello.

Jah Rastafari: ['ya Rasta'faral] *interj* **1**. Saludo entre Rastas. *interj* **2**. Frase que inicia o termina un discurso, meditación o presentación (como en un concierto); también para evocar a Jehová.

Jah: [ya] *n* Abreviatura de "Jehová", representa a Jehová como ser supremo.

Jah-fari: [ya'fari] *n* Rastafari.

Jahman: ['yama] *n Jah–man* (hombre de Dios), persona confiable y respetable en el ambiente comunitario o en un grupo social que simpatiza con los Rastas. /*Habla sin problema que él es un Jahman.*/ Se pronuncia como la palabra "llama" [¢dÇama] que curiosamente también significa "fuego" en español. El Jahman es quien está en condiciones de "darle fuego" a los aspectos negativos de la sociedad. (Ver **fuego**).

Jamming: ['jamIn] *n* o *adj* Diversión, baile, fiesta; calidad de alegre o festivo. /*Hay un bonche el sábado que va a estar jamming.*

Keté: [ke'te] *n* El más pequeño de los instrumentos de percusión (tambores) usados en las celebraciones o binghis.

León: *n* Rasta de cierta autoridad y dominio de una situación. Hace referencia a la apariencia física que por el pelo asemeja la melena de un león. /*A veces tú llegas a un bonche y te encuentras a una pila de leones dispuestos a devorarte.*

Libela: *n* Un lugar de gran importancia. /*Alamar es la libela de los Rastas en La Habana.* / Según algunos Rastas cubanos el término designa un grupo de sagradas iglesias en Etiopía donde se guarda la *Biblia* más antigua del mundo.

Lordamercy =***Lord have mercy***: [lorda'mercI] *interj* Expresión de origen religioso (literalmente "Señor, tenga piedad") pero actualmente muy generalizada por los cantantes de reggae y algunos *DJ's* en sus actuaciones para exaltar el ánimo.

Livity: ['libiti] *n* El modo de vida de los Rastas; un código de relaciones con Dios, la naturaleza y la sociedad. /*El livity es muy peculiar debido a los hábitos alimentarios, la forma de vestir y la apariencia externa.*/ El vocablo surge a fines de los años cuarenta del siglo XX cuando un grupo de jóvenes conocidos como Hige Knots o I-gelic House en Jamaica se revelan contra los tradicionales hábitos de los Rastas más viejos y gradualmente van introduciendo nuevas costumbres. Entre ellas surge el lenguaje *dreadtalk*.

Llama: *n* Ver **Jahman.**

Llave de fuego: *n* Ver **Fuego fundamental**.

Mantengan sus Ises: Frase utilizada para llamar a los Rastas a la unidad y elevar el espítiru de hermandad.

Máximo respeto: *interj* Traducción literal de "*nof rispek*", frase del inglés jamaicano y del vocabulario Rasta (DT) en Jamaica. Comúnmente usado para llamar la atención y clamar por el respeto hacia otros. /*Un niño quiere cantarnos una canción y hay que escucharlo, máximo respeto con eso.*

Mítica mágica: *n* El poder de la palabra y el sonido. El amplio uso de esta frase se le atribuye hipotéticamente a Bob Marley, quien frecuentemente decía "*magic mystics*" para explicar sus interpretaciones del mundo.

Moños: *n* Usado por la sociedad en general para denominar la forma en que crece el pelo de los Rastas. Ver **Corona**.

Moñudos: *n* Usado por la sociedad en general para denominar a los Rastas que tienen dreadlocks. /*Esos moñudos son cansones.*

Muela: *n* Se refiere a las habilidades con el balón en un jugador de fútbol. Muchos Rastas se identifican altamente con este deporte. /*Pide a Babá para tu equipo que tiene tremenda muela y es hard cantidad.*

Natydrela = ***Nattydread***: [natI'drela] *n* Significa en inglés *knotty dreadlocked hair*. En Cuba, hace referencia a los Rastas que viven en las lomas en zonas rurales, como los del Cobre en Santiago de Cuba, lejos de la civilización urbana y que además viven una vida lo más natural posible.

Nyabinghi: [na-yabingi] *n* **1**. Tipo de Rasta con hábitos alimenticios muy estrictos, de estilo de vida fundamentalmente rural: por lo general vive o va con frecuencia a zonas montañosas o al campo para estar lejos de la sociedad civilizada. No es común en Cuba pero el uso de este vocablo está muy extendido. **2**. Ver **Binghi**.

Pata caliente = ***Hot-stepper***: *n* En Jamaica es alquien que ha salido de la prisión. En Cuba se refiere a una persona con la habilidad de salir de los problemas con mucha facilidad. También denota a alguien muy activo. /*Felito nunca está en la casa, tú sabes que el es un pata caliente.*

Pelaítos = ***Bold head***: *n* Niños o personas en general que no tiene *dreadlocks*. Tiene cierta connotación negativa ¦ *El concierto no empieza hasta las cinco porque hay una escuela de pelaitos cerca de aquí.* /Usado como antónimo de "peludos".

Peludos: *n* Ver **Moñudos**.

Porro: *n* Un cigarrillo de marihuana o *ganja*. Al igual que el término "taco", su uso es resultado de la interacción de algunos drelas con el turismo internacional.

Princesa = ***Princess***: *n* Mujer joven, la novia.

Puño: *n* Símbolo de fraternidad y unidad.

Raíz =***Roots***: *n* Todo lo ancestral o con influencia de lo ancestral, la cultura originaria. /*Música de la raíz.* /*Conocer nuestras raíces.*

Ras: *n* Príncipe en amárico. Los más ortodoxos lo utilizan como título antes del nombre siguiendo la tradición de los Rastas en otras partes del mundo.

Rasta comercial: *n* Aquel cuya apariencia imita la imagen del Rasta únicamente por moda o esnobismo. Comparar con **Drela 1**.

Rastitución = ***Rastitution***: *n* Sinónimo de "jineterismo".

Reggae: ['Rege], ['Rehe] or [Re'he] *n* Ritmo con compás de 4x2, el primero de los cuales se acentúa con el bajo o la percusión. Al igual que los *dreadlocks*, es una característica distintiva de la cultura Rastafari. Otros estilos son *ragamuffin*, *dancehall*, etcétera que por lo general los Rastas dominan y distinguen bien.

Regolangrín = ***Red, gold and green***: [Regolan'grin] *n* **1**. Cualquier artículo (tela, gorro, cinto, etcétera) con los colores rojo, amarilo y verde de la bandera etiope y muchas africanas y caribeñas. **2**. *adj* Que tiene o imita los colores de rojo amarillo y verde.

Reina = ***Queen***: *n* Esposa, concubina o amante del Rasta; la acompañante femenina.

Repatriación (a casa): Regreso espiritual a África. Muy frecuente entre los más fieles y ortodoxos. /*Hagamos la repatriación sin diferencia de raza, hagamos el amor y nos veremos en casa.*

Rey = ***King***: ['ReI] u **Hombre-rey** *n* El hombre cabeza de familia de cualquier familia Rasta. /*Mi papá es el rey de la casa.*

Sacerdote: *n* Practicante de mayor conocimiento entre los Rastas más ortodoxos. Aunque en las reuniones espirituales o sociales (*reasonings*) no existe formalmente un líder, algunos se destacan por su protagonismo proselitista, profundo conocimiento y guía de los menos "instruidos". /*Sacerdote ya es una palabra mayor.*

Salsa de maní: *n* Salsa especial cuyo principal ingrediente es el maní. Comúnmente se usa para sazonar la dieta vegetariana.

Saludo de puño: *n* Choque de puños intercambiado como saludo entre dos Rastas o entre un Rasta y alguien que goza de su amistad sincera y su confianza. Ver **Puño**.

Satán Claws: [sa'tan 'claus] *n* Se refiere a Santa Claus, ya que algunos consideran polémicamente que la historia de Jesús Cristo es pagana. Existen diversas alusiones anticristianas en la ideología Rasta, *e. g.*, homologar al papa con la Bestia y el número 666.

Selassie I: [selasI'aI] *n* **1**. El emperador de Etiopía Haile Selassie I. **2**. *interj* Frase de saludo o despedida entre Rastas o del cantante al público en un concierto.

Tabernáculo: *n* El lugar donde se hacen las reuniones y celebraciones.

Taco: *n* Ver **Porro**.

Tam: *n* Ver **Gorro.**

Turbante: *n* Tela que cubre los *dreadlocks* de la mujer Rasta.

Vibración: *n* Buen estado de ánimo /*Hay mucha vibración aquí hoy.* / Se utiliza la frase "vibración positiva" = *"positive vibration"* de la canción homónima de Bob Marley en el disco *Rastaman Vibration.*

Yerba: *n* Ver **Ganja**

Yes I: [yes'aI]: *interj* Expresión de reafirmación y de alegría.

Youts = *youths*: ['yuts] o [Iuts] *n* Los hijos en la familia Rasta. /*Este es Yasé, el yout de Zuraima.*

Rastadata*

Nombre o apodo	Edad	Sexo	Residencia	Conoce Rastafari desde	Vía de conocimiento de Rastafari	Profesión o estudios realizados	Dreadlocks
Adriamo	32	M	Santiago de Cuba	1983	Proselitismo, música	No conocido	Sí
Abel	22	M	Cienfuegos (Angola)	1995	Proselitismo, música	Estudiante	No
Alaín	25	M	Ciudad de La Habana	1985	Proselitismo	Chofer de montacargas, músico autodidacto	Sí
Alejandro	23	M	Ciudad de La Habana	Años noventa	Proselitismo, epifanía	Estudiante de Lengua Inglesa, Univ. de La Habana	Sí
Anita	25	F	Ciudad de La Habana	Años noventa	Proselitismo	Cantante aficionado	No
Ariel /Ras Iriel	38	M	Ciudad de La Habana	1979-81	Proselitismo, música	Artista plástico (pintor) graduado	Sí
Ariston	21	M	La Habana (Guyana)	Años noventa	Proselitismo, música	Estudiante ISCAH Medicina veterinaria	Sí
Capellá	29	M	Cienfuegos	1983	Proselitismo, música	No conocido	Sí
Cocoman	24	M	Ciudad de La Habana	1985	Música	Cantante aficionado	Sí

* Esta tabla contiene algunos datos del trabajo de campo recogidos por el autor o los estudiantes mencionados en la introducción del Glosario. Algunos datos han cambiado en el transcurso de los años. No se incluyen en esta tabla muchos otros que no revelaron su identidad durante las entrevistas y, de ser necesario, al citarlos o hacer referencias a sus declaraciones, aparecen reflejados en el texto solamente con un número.

Nombre o apodo	Edad	Sexo	Residencia	Conoce Rastafari desde	Vía de conocimiento de Rastafari	Profesión o estudios realizados	Dreadlocks
Charles	25	M	La Habana (Sta. Lucía, West Indies)	Años ochenta	Proselitismo	Ing. Agrónomo, ISCAH	Sí
Chichi (Mustelier)	37	M	Santiago de Cuba	1985	Proselitismo, música	DJ	Sí
Chucho	35	M	Ciudad de La Habana	1986	Proselitismo, música	Constructor	Sí
Daniel	30	M	Ciudad de La Habana	Fines de los años noventa	Música y artes	Representante cultural	No
Darwin	23	M	Ciudad de La Habana	1985-87	Música	Estudiante de Lengua Inglesa, Univ. de La Habana	Sí
Daxiel	22	M	Ciudad de La Habana	Años noventa	Proselitismo	Constructor y artista de la plástica (ceramista)	No
Elio	37	M	Ciudad de La Habana	1979	Proselitismo, música	Obrero, Fca. Galletas La Estrella	Sí
Elisabeth	21	F	Ciudad de La Habana	Años noventa	Música	Estudiante de Lengua Inglesa, Univ. de La Habana	No
Elsi	22	F	Ciudad de La Habana		Proselitismo	Ama de casa	Sí
Eric	34	M	Ciudad de La Habana	1990	Proselitismo, música	Técnico de sonido aficionado	Sí
Felipe	33	M	Ciudad de La Habana	1984	Proselitismo, música	Traductor, cantante de Remanente	Sí

Félix Morales	33	M	Ciudad de La Habana	1981-82	Proselitismo, música	Bajista, escultor y pintor autodidacto.	Sí
Félix Pablo	38	M	Ciudad de La Habana	1982-83	Música	Músico, baterista de Remanente	Sí
Francisco (Frank o El Michael)	29	M	Cienfuegos	1983	Proselitismo, música	Marinero, pesca	Sí
Gerardo	36	M	Ciudad de La Habana	1984	Música	Cantautor	Sí
Gutsa	31	M	Ciudad de La Habana (Etiopía)	1985	Proselitismo, música	Estudiante de Lengua Inglesa, Univ. de La Habana	Sí
Ichi / Yosvany	30	M	Cienfuegos	1983	Proselitismo, música	No conocido	Sí
Joel	27	M	San Miguel del P.	1995	Proselitismo	No conocido	Sí
Jorge (El Truco)	20	M	Cienfuegos	1984	Proselitismo	No conocido	Sí
Tamayo	29	M	Cienfuegos	1983	Proselitismo, música	Artista de la plástica graduado	Sí
Juan Carlos C.	31	M	Ciudad de La Habana y Pinar del Río	1990	Proselitismo, música	Cantautor aficionado	Sí
Juan Carlos G.	38	M	Ciudad de La Habana	Años ochenta	Música, proselitismo	DJ, sonidista	Sí
Lázaro (El Viejo/Eleazar Ashanti/Yanqui)	35	M	Ciudad de La Habana	1987	Proselitismo, música	Obrero, poeta, cantautor de Insurrectos	Sí
Lester	21	M	Las Tunas	1989-90	Música, descendencia	Artista de la plástica, pintor y grabador	Sí

Nombre o apodo	Edad	Sexo	Residencia	Conoce Rastafari desde	Vía de conocimiento de Rastafari	Profesión o estudios realizados	Dreadlocks
Lucas	40	M	Ciudad de La Habana	Años setenta	Música	Ing.riego y drenaje no graduado. Actor	Sí
Papito	25	M	Ciudad de La Habana	1990	Proselitismo, música	Técnico de sonido	Sí
Manolo Mayeta	39	M	Ciudad de La Habana	Años ochenta	Proselitismo	No conocido	Sí
Manolo de Jesús	34	M	Ciudad de La Habana	1988	Proselitismo, descendencia	Artista plástico graduado	Sí
Mirelys	20	F	Ciudad de La Habana	Años noventa	Proselitismo	No conocido	No
Marilú	31	F	Cienfuegos	1983	Proselitismo, música	Trabajadora social	Sí
Median	20	M	La Habana (Dominica, Caribe)	Principios de los años noventa	Proselitismo	Estudiante univ. ISCAH Agronomía	Sí
Morsa	30	M	Ciudad de La Habana	1989	Proselitismo	Artista plástico no graduado	Sí
Nego	38	M	Ciudad de La Habana y Sgo. de Cuba	No es Rasta	Música, descendencia	Percusionista aficionado	No
Nelson Chambert	28	M	Ciudad de La Habana	Años noventa	Proselitismo, música	No conocido	No
Nelson Cauce	27	M	Ciudad de La Habana	1992-93	Música	Cantante aficionado	No
Niurka	24	F	Ciudad de La Habana y Pinar del Río	1993	Proselitismo, religión	Educadora de círculo infantil. No trabaja	Sí

Ñaño	28	M	Ciudad de La Habana	1990	Proselitismo, música	Músico aficionado	Sí
Omar (El lobo)	37	M	Ciudad de La Habana	1985	Proselitismo, música	Obrero	Sí
Pablo	28	M	Ciudad de La Habana	1990	Proselitismo	Cartero	No
Papuchini	28	M	Ciudad de La Habana	1985	Proselitismo	Obrero multioficios, construcción	Sí
Pipo	26	M	Ciudad de La Habana	1990	Proselitismo, música	Músico aficionado	Sí
Daniel (El Peca)	39	M	Ciudad de La Habanaa	1984-85	Proselitismo, música	Artesano, músico aficionado	Sí
Samuel	29	M	Ciudad de La Habana	1995	Proselitismo, música	No conocido	Sí
Samuel	32	M	Ciudad de La Habana (Etiopía)	1985	Música	Médico graduado en Cuba	No
Sekou	29	M	Ciudad de La Habana	2000	Proselitismo, epifanía	Rapero de Anónimo Consejo	Sí
Vitico	27	M	Santiago de Cuba	1985	Música	Técnico medio en Electroenergética	Sí
Yemani	29	M	Ciudad de La Habana (Etiopía)	1985	Proselitismo, música	Estudiante de Ingeniería Civil	Sí
Yoel	24	M	Ciudad de La Habana	Años noventa	Proselitismo	Artista de la plástica (pintor) no graduado	Sí
Zilia	33	F	Ciudad de La Habana	1987	Proselitismo, música	Dependiente de la heladería Coopelia	Sí
Zuraima	22	F	Ciudad de La Habana	Inicios de los años noventa	Proselitismo	Ama de casa	Sí

Bibliografía

Sobre Rastafari, reggae y el Caribe

ALLAHAR, ANTON L. (1997): "History and the Genesis of Fragmented Caribbean Identities" en *Journal of Social Sciences*: Suriname. (Fotocopia)

BANGOU, HENRI (1981): "Ensayo de definición de las culturas caribeñas" en *Anales del Caribe*, nro. 1,1981, Casa de las Américas, Ciudad de La Habana.

BARNETT, MICHAEL (1999): "The Political Objectives of Rastafari: A Case Stuty of the Life and Influence of Ras Sam Brown on the Rastafari Movement". Ponencia presentada en la 24 Conferencia Anual de la Asociación de Estudios del Caribe, 24-29 de mayo de 1999, Ciudad de Panamá.

BARRET, LEONARD (1977): *The Rastafarian Dreadlocks of Jamaica*: Sangster Bookstore Ltd. y Heinemann, Kingston.

Benítez-Rojo, Antonio (1992): *The Repeating Island. The Caribbean and the Postmodern Perspective*: Duke University Press, Durham y Londres.

Bilby, Kenneth (1985): *The Caribbean as a Musical Region*: Wilson Center, Washington D.C.

----------------- (1995): "Jamaica" en Peter Manuel con Kenneth Bilby y Michael Largey (Eds.): *Caribbean Currents: Caribbean Music from Rumba to Reggae*: Temple University Press, Filardelfia.

BREMER, THOMAS (1993): *Alternative Cultures in the Caribbean*: Veruvert, Frankfurt au Main.

BRODBER, ERNA Y J. EDWARD GREENE (1988): *Reggae and Cultural Identity in Jamaica* [Working Paper No. 35], Institute of Social and Economic Research, Kingston.

CAMPBELL, HORACE (1985): *Rasta and Resistance. From Marcus Garvey to Walter Rodney*: Hansib Publications, Londres.

Cashmore, Ernest (1979): *Rastaman. The Rastafarian Movement in England*: Geroge Allen & Unwin, Londres.
Caribbean Quaterly. Monografía Rastafari: Kingston, 2000.
Clarke, Peter (1986): *Black Paradise:The Rastafarian Movement*: The Acquarian Press, Londres.
Clarke, Sebastian (1987): *Les Racines du Reggae*: Ed. Caribbennes, París.
------------------ (1980): *Jah Music*: Heinemann, Londres.
Constant, Denis (1982): *Aux Sources du Reggae*: Ed. Parenthèses, Roquevaire.
Cooper, Carolyn (2004): *Sound Clash: Jamaican Dancehall Culture at Large*: Palgrave Macmillan, Nueva York y Hampshire.
------------------ (1995): *Noises in the Blood*: Duke University Press, Durham.
Chevannes, Barry (1998a): *Rastafari and Other African-Caribbean World Views*: Rutgers University Press, Nueva Bunswick, Nueva Jersey.
------------------ (1998b): "Rastafari and the Exorcism of the Ideology of Racism and Classism in Jamaica" en Murrell, Spencer y McFarlane (Eds.) (1998).
------------------ (1995): *Rastafari. Roots and Ideology*: UWI Press y Syracuse University Press, Nueva York.
DeCosmo, Jan (1999): "'A New Christianity for the Modern World': Rastafari Fundamentalism in Salvador, Bahia, Brazil". Trabajo presentado en la 24 Conferencia Anual de la Asociación de Estudios del Caribe, 24-29 de mayo de 1999, Ciudad de Panamá.
------------------ (1998). "Religion and Culture in Conflict: A Case Study of Rastafari in Salvador, Bahia." Informe de investigación presentado en el panel del equipo de investigaciones sobre Rastafari en el contexto global durante la conferencia anual de la American Academy of Religion, en Boston, Estados Unidos, 24 de nov. de 1999.
Edwards, Adolph (1967): *Marcus Garvey*: New Beacon Publications, Londres.
Garvey, Amy Jacques (1970): *Garvey and Garveyism*: Collier McMillan, Londres.

Gilroy, Paul (1993): *The Black Atlantic: Modernity and Double Consciousness*: Verso, Londres.

Giovannetti, Jorge L. (2001): *Sonidos de condena. Sociabilidad, historia y política en la música reggae de Jamaica*: Siglo XXI, México, D.F.

------------------ (1995): "Rasta y reggae del campo de batalla al salón de baile" en *Revista Universidad de América*: vol. 7, nro. 1.

Hebdige, Dick (19??): "Reggae, Rastas and Rudies: Style and the Subversion of Form" [sin paginar] in Centre for Contemporary and Cultural Studies (CCCS): *Stencilled Occasional Papers*: University of Birmingham, Birmingham.

------------------ (1979): *Subculture: The Meaning of Style*: Methuen and Co. Ltd., Londres.

Homiak, John P. (1999a): "The Kingston-Cape Town connection: Rastafari in South Africa". Trabajo presentado en la 24 Conferencia Anual de la Asociación de Estudios del Caribe, 24-29 de mayo de 1999, Ciudad de Panamá.

------------------ (1999b): "Scribes and Pharisees at the gates of Zion: contending methodologies in the study of Rastafari". Presentación oral en el panel sobre la globalización de Rastafari durante el Congreso Anual de la American Academy of Religion, en Boston, Estados Unidos, 24 de nov. de 1999.

------------------ (1998): "Dub History: Soundings on Rastafari Livity and Language" en Barry Chevannes (1998a).

------------------ (1985): "The 'Ancients of Days' Seated Black: Eldership, Oral Tradition, and Ritual in Rastafari Culture". Tesis de doctorado presentada en el Claustro del Departamento de Antropología de la Graduate Shool of Arts and Sciences, Brandeis University.

James, Leslie R. (1998): "Rastafarianism and Paulo Freire: Religion, Democracy and the New World Order". Informe de investigación presentado en el panel del equipo de investigaciones sobre Rastafari en el contexto global durante la conferencia anual de la American Academy of Religion de 1999, en Boston, Estados Unidos.

JOHNSON-HILL, JACK A. (1995): *I Sight the World of Rastafari. An Interpretative Sociological Account of Rastafarian Ethics*: The American Theological Library, Association of Scarecrow Press, Metuchen y Londres.

KEBEDE, ALEMSEGHED Y J. DAVID KNOTTNERUS (1998): "Beyond the Pales of Babylon: The Ideational Component and Social Psychological Foundations of Rastafari" en *Sociological Perspectives*: vol. 41, nro. 3, Pacific Sociological Association, Oklahoma,

Kitzinger, Sheila (1971). "The Rastafarian Brethren on Jamaica" en *Peoples and cultures of the Caribbean*: Natural History Press, Nueva York.

LAKE, OBIAGELE (1998): *RastafarI Women.Subordination in the Midst of Liberation Theology*: Carolina Academic Press, Durham.

LARRAÑAGA, MARÍA AGUSTINA (2007): "Somos como la lluvia. Acercamientos a Rastafari en Cuba desde la oralidad". Tesis presentada en opción al grado científico en Ciencias Filológicas. Lingüística. Universidad de La Habana, Facultad de Artes y Letras, Ciudad de La Habana.

LEWIS, RUPERT (1988): *Marcus Garvey. Paladín Anticolonialista:* Editorial Casa de las Américas, Ciudad de La Habana.

------------------ Y PATRICK BRYAN (Eds.) (1998): *Garvey: His Work and Impact*: Institute of Social and Economic Research and Department of Extra-Mural Studies, University of the West Indies, Mona.

MESCHINO, PAT (2005): "Reggaeton's Rise from the Underground" en *Skywritings*, nro. 159, julio-agosto, 2006, pp. 42-43.

MURRELL, NATHANIEL SAMUEL, WILLIAM DAVID SPENCER Y ADRIAN ANTHONY MCFARLANE (Eds.) (1998): *Chanting Down Babylon*: Temple University Press, Filadelfia.

NÈGRE, FABIEN (1999): "Négritude, créolité, métissage" en *Raison Présente*: 1er. trimestre, 1999, París.

NETTLEFORD, REX (1979): *Caribbean Cultural Identity. The case of Jamaica: an essay in cultural dynamics*: Los Angeles Centre for Afro-American Studies.

------------------ (1970). *Mirror Mirror. Identity, Race and Protest in Jamaica*: Mirror, Kingston.

NICHOLAS, TRACY (1979): *Rastafari: A Way of Life*: Anchor Press Double Day, Nueva York.

O´BRIAN CHANG, KEVIN Y WAYNE CHEN (1998): *Reggae Routes*: Ian Randel Publisher, Kingston.

OOSTINDIE, GERT (Ed.) (1996): *Ethnicity in the Caribbean*: Macmillan Caribbean, Warwick.

OWENS, JOSEPH (1976): *Dread. The Rastafarians of Jamaica*: Sangster´s, Kingston.

POLLARD, VELMA (2000): *Dread Talk: The Language of the Rastafari*: UWI Press, Kingston.

POTASH, CHRIS (Ed.) (1997): *Reggae, Rasta, Revolución. Jamaican Music From Ska to Dub*: Schirmer Books, Nueva York.

POTTER, PHILLIP (1988): "The religious thought of Marcus Garvey" en Rupert Lewis y Patrick Bryan (Eds.) (1998): *Garvey: His Work and Impact*: Institute of Social and Economic Research and Department of Extra-Mural Studies, University of the West Indies, Mona.

PULLIS, JOHN (Ed.)(1999): *Religion and Diaspora in the Anglophone Caribbean. A Reader in the Anglophone Caribbean*: Gordon and Brach Publishers, Amsterdam.

QUINTERO RIVERA, ÁNGEL (1998): *¡Salsa, sabor y control! Sociología de la música "tropical"*: Fondo Editorial Casa de las Américas, La Habana.

RECKORD, VERENA (1982). "Rastafarianism and cultural identity" en *Jamaica Journal*: Kingston, agosto, 1982. (También en Chris Potash (Ed.) (1997).

RODNEY, WALTER (1969): *The Groundings with my Brothers*: Bogle-L'Ouverture Publications, Londres.

TURNER, HAROLD (1991): "Rastafari in New Zeland Maori" en *South Pacific Journal of Mission Studies*: nro. 1, febrcro, 1991.

SALTER, RICHARD (1998): "Rastafari in a Global Context: Affinities of 'Orthognosy' and 'Oneness' in the Expanding World". Informe de investigación presentado en el panel del equipo de investigaciones sobre Rastafari en el contexto global durante la conferencia anual de la American Academy of Religion, en Boston, Estados Unidos, 24 de nov. de 1999.

SANZ, ILEANA (197?): "Entrevista a Jimmy Cliff": La Habana, (Transcripción mecanografiada por la autora).

SAVISHINSKY, NEIL J. (1993): "Rastafari in the Promised Land: The spread of a Jamaican Socio Religious Movement and its Music and Culture Among the Youth of Ghana and Senegambia". Tesis presentada como requisito para el grado de Doctor en Filosofía de la Graduate School of Arts and Sciences, Columbia University.

SMITH, M. C., R. AUGIER Y R. NETTELFORD (1960): *Report on the Ras Tafari Movement in Kingston, Jamaica*: Institute of Social and Economic Research, University of the West Indies, Mona, Kingston.

TAYLOR, PATRICK (1990): "Prespectives on history in Rastafari thought" en *Studies in Religion*, nro. 2, vol. 19, 1990.

VAN DIJK, FRANK JAN (1998): "Chanting down Babylon Outernational: The Rise of Rastafari in Europe, the Caribbena and the Pacific" en Spencer Murrell y McFarlane (Eds.) (1998).

WATERS, ANITA (1985): *Race, Class, and Political Symbols. Rastafari and Reggae in Jamaican Politics*: Transaction Books, New Brunswick y Oxford.

WHITE, TIMOTHY (1998): *Catch a Fire. The Life of Bob Marley*: Henry Holt and Company, Nueva York.

WILLIAMS, K. M. (1981): *The Rastafarians*: Ward Lock Educational, Londres.

WITVLIET, THEO (1985): *A Place in the Sun*: SCM Press Ltd. Londres.

YAWNEY, CAROLE D. (1995): "Tell out King Rasta doctrine around the whole world: Rastafari in global perspective" en A. Ruprecht y C. Taiana (Eds): *The Reordering of Culture: Latin America, the Caribbean and Canada. In the Hood*: Carleton University Press, Carleton.

------------------ (1976): "Remnants of All Nations: Rastafarian attitudes to Race and Nationality" en Henry Frances (Ed.): *Ethnicity in the Americas*: Morton Publishers, The Hague.

Sobre Cuba

Acosta, Leonardo (2004): *Otra Visión de la Música Popular Cubana*: Editorial Letras Cubanas, La Habana.

------------------ (1998): "Música y cultura popular cubana" en *La Gaceta de Cuba*, nro. 5, año 36, septiembre-octubre de 1998, La Habana.

ALVARADO RAMOS, JUAN (1996): "Relaciones raciales en Cuba. Notas de investigación" en *Temas*, nro 7, julio-septiembre, 1996.

AGUILA, VICTOR (1982): "Jimmy Cliff: Confesiones de un Pastor" en Revista Semanal Independiente *Por Esto!*, nro. 39, 25 de marzo de 1982, México.

AGUIRRE, SERGIO (1995): *De nacionalidad a nación en Cuba*: Editorial Pablo de la Torriente Brau, La Habana. (Tomado de *Universidad de La Habana*, nro. 196-197: La Habana, 1972.)

ARREDONDO, ALBERTO (1939): *El Negro en Cuba*: Editorial Alfa, La Habana.

BRENT, BILL (1999): "Bob Marley in Memoriam/Homage to Bob Marley" en *Sol y Son*, nro. 5, septiembre-octubre de 1999, La Habana.

CASANELLAS CUÉ, LILIANA (2004): *En defensa del texto*: Editorial Oriente, Santiago de Cuba.

CASTRO RUZ, FIDEL (1999): "La Revolución no tiene que renunciar a su caracter humanitario para ser firme, para ser rigurosa". Discurso pronunciado en el acto por el cuarenta aniversario de la constitución de la Policía Nacional Revolucionaria, efectuado en el teatro Carlos Marx, el día 5 de enero de 1999.

Ministerio de Cultura (1979): *Sobre el III Festival de las Artes Creativas del Caribe, Carifesta'79, que se celebrará en La Habana y Santiago de Cuba del 16 al 22 de julio de 1979*: Dirección de Divulgación, MINCULT, La Habana.

CHAILLOUX, GRACIELA (ed.) 2005: *¿De dónde son los cubanos?*: La Habana, Ciencias Sociales.

------------------ (1998): "Recreating Racism: Race and Discrimination in Cuba's 'Special Period'" en *Cuba Briefing Paper Series*, nro. 18, julio, 1998: Center for Latin American Studies, Georgetown University.

Documentos y Resoluciones del Cuarto Congreso del PCC (1991): Editora Política, Ciudad de La Habana.

DÍAZ CERVETO, ANA MARÍA Y ANA C. PERERA PINTADO (1997): *La Religiosidad en la Sociedad Cubana*: Editorial Academia, La Habana.

DOMÍNGUEZ, MARÍA ISABEL Y MARÍA ELENA FERRER (1995): *Jóvenes Cubanos. Expectativas en los 90*: Colección Pinos Nuevos, Editorial de Ciencias Sociales, La Habana.

------------------ (1996, inédito): "Integración Social de la Juventud Cubana. Reflexión Teórica y Aproximación Empírica". Centro de Documentación del CIPS, La Habana.

FAYA, ALBERTO, *et al.* (1996). "La música y el mercado" en *Temas*, nro. 6, abril-junio, 1996.

FERNÁNDEZ DÍAZ, ARIEL (2005): "Orishas, un rap que nace de la diferencia. Conversación con Hirám Rozzo Medina, Yotuel Guerrero Romero y Roldán Gonzalez" en *La Gaceta de Cuba*, nro. 1, ene-feb. de 2005: UNEAC, Ciudad de La Habana.

FERNÁNDEZ ROBAINA, TOMÁS (2000): Intervención en el II Taller de Unidad y Multirracialidad en la Ideología de la Revolución Cubana, Centro de Antropología, CITMA, 22 de septiembre de 2000.

------------------ (1990): *El negro en Cuba (1902-1958)*: Editorial de Ciencias Sociales, La Habana.

FERRER, ADA (1999): *Ambivalent Revolution: Race, Nation, and Anticolonial Insurgency in Cuba. 1868-1898*: Chapel Hill, University of North Carolina Press.

FOEHR, STEPHEN (2001): *Waking up in Cuba*: Sanctuary Publishing Limited, London.

FUENTE, ALEJANDRO DE LA (2000): *A Nation for All. Race, Inequality and Politics in Cuba*: University of North Carolina Press, Carolina del Norte.

GÓMEZ NAVIA, RAIMUNDO, *et. al.* (2005): *¿De dónde son los cubanos?*, Ciencias Sociales, La Habana.

GUANCHE, JESÚS (1983): *Procesos etnoculturales de Cuba*: Editorial Letras Cubanas, Ciudad de La Habana.

------------------ (1996): "Etnicidad y racialidad en la Cuba actual" en *Temas*, nro 7, julio-septiembre, 1996.

FRANCO FERRÁN, JOSÉ LUCIANO (1975): *La diáspora africana en el Nuevo Mundo*: Ciencias Sociales, La Habana.

HART DÁVALOS, ARMANDO (1979): *Discours prononcé par Armando Hart à la ceremonie d'ouverture du troisième Carifesta le 16 juillet 1979*: La Habana.

IBARRA, JORGE (1981): *Nación y cultura nacional*: Letras Cubanas, Ciudad de La Habana.

KNIGHT, FRANKLIN W. (1996): "Ethinicity and Social Structure in Contemporary Cuba" en Gert Oostindie (Ed.) (1996).

LARENAS ÁLVAREZ, ANGIE (2003): "La inserción social del Rastafari en Cuba". Tesis de Licenciatura. Facultad de Filosofía e Historia, Universidad de La Habana.

------------------ (2004): "El Rastafarismo en Cuba: Una aproximación a sus dimensiones sociales" en *Catauro. Revista Cubana de Antropología*, nro 9, año 5, enero-junio: Fundación Fernando Ortíz, Ciudad de La Habana.

LINARES, MARÍA TERESA (2004): "¿Qué es el rap para María Teresa Linares?" Fragmento de entrevista citado en *Movimiento. Revista Cubana de Hip Hop*, nro. 1, 2004: La Habana.

MARTÍ, JOSÉ (1961): *La cuestión racial*: LEX, La Habana.

MATEO PALMER, MARGARITA (1988): *Del bardo que te canta*: Editorial Letras Cubanas, Ciudad de La Habana.

MCGARRITY, GAYLE (1992): "Race, Culture and Social Change in Contemporary Cuba" en Sandor Halebsk y John Kirk (Eds.) *Cuba in Transition*: West View Press, Boulder.

MENÉNDEZ, LÁZARA (2002): *Rodar el coco. Proceso de cambio en la santería.* Colección La Fuente Viva. Editorial de Ciencias Sociales, Ciudad de La Habana.

MORALES DOMINGUEZ, ESTEBAN (2002): "Un modelo para el análisis de la problemática racial cubana" en *Catauro. Revista Cubana de Antropología.* Año 4, nro. 6, julio-diciembre, Fundación Fernando Ortiz, Ciudad de La Habana.

------------------ (2007): *Desafíos de la problemática racial en Cuba*: Fundación Fernando Ortiz, Ciudad de La Habana.

MORENO, JOSÉ A. *et al* (1998): *CUBA. Período especial: perspectivas*: Ciencias Sociales y Centro de Estudios Latinoamericanos de la Universidad de Pittsburgh, La Habana.

MORENO FRAGINALS, MANUEL (1995): *Apuntes culturales y deculturación*: Editorial Pablo de la Torriente Brau, La Habana.

Oficina Nacional de Estadísticas y Centro de Estudios de la Población y el Desarrollo (ONE-CEPD) (1999a): *Indicadores demográficos por provincias y municipios 1998*: La Habana, abril, 1999.

------------------ (1999b): *Cuba. Proyección de la población a nivel nacional y provincial, período 2000-2025*: La Habana.

------------------ (1999c): *Estudios y datos sobre la población cubana 1998*: La Habana, mayo, 1999.

OROZCO G., DANILO (2001): *Nexos globales desde la música cubana con rejuegos de son y no son*. Edición operativa provisional: Estudios Ojalá, La Habana.

ORTIZ FERNÁNDEZ, FERNANDO (1943): "Por la integración cubana de blancos y negros" en *Ultra* (Habana), vol. 13, nro. 77,69-76 pp. enero, 1943. También en Julio Le Riverend (Ed.): *Órbita de Fernando Órtiz:* Colección orbita. UNEAC, La Habana.

PÉREZ SARDUY, PEDRO Y JEAN STUBBS (2000): *Afro-Cuban Voices. On Race and Identity in Contemporary Cuba*: University Press of Florida, Gainesville.

------------------ (1986): "¡Obeah para Bob Marley!" en *El Caimán Barbudo*, año 20, agosto de 1986: Ciudad de La Habana.

Ramirez Calzadilla, Jorge (1994). *Religión y relaciones sociales: significación sociopolítica de la religión en la sociedad cubana*: DESR-CIPS, La Habana.

------------------ y OFELIA PÉREZ CRUZ (1997): *La Religión en los jóvenes cubanos*: Editorial Academia, La Habana.

La religión en la cultura: Editorial Academia, La Habana, 1990.

RODRÍGUEZ, EMILIO JORGE (2001): *Acriollamiento y discurso escrit/oral caribeño*: Letras Cubanas, La Habana.

RODRÍGUEZ, JOSÉ ALENAJDRO (2004): "Inquietud de roqueros" en *Juventud Rebelde*, 18 de junio de 2004.

RUBIERA CASTILLO, DAISY (1997): *Reyita, sencillamente*: PROLIBROS y World Data Research Center, La Habana.

SARIOL, JORGE (2004): "Del aria al regguetón" en *Alma Mater*, junio de 2004, nro. 413, Editorial Abril, Ciudad de La Habana.

SARUSKI, JAIME (1981). "Carifesta en Cuba" en *Anales del Caribe*: nro. 1, 1981: Casa de las Américas, La Habana.

SARRACINO, RODOLFO (1988): *Los que volvieron a África*: Editorial de Ciencias Sociales, La Habana.

SERVIAT, PEDRO (1980): *El problema negro en Cuba y su solución definitiva*: Editora Política, La Habana.

TORRES-CUEVAS, EDUARDO Y OSCAR LOYOLA VEGA (2001): *Historia de Cuba. 1492-1898. Formación y liberación de la nación*: Editorial Pueblo y Educación, Ciudad de La Habana.

VALDÉS PAZ, GISELA ARANDIA, MAYRA ESPINA *et al.* (2001): "¿Entendemos la marginalidad?" en *Temas*, nro. 27, octubre-diciembre de 2001.

VERA ESTRADA, ANA (Ed.) (2000): *Pensamiento y tradiciones populares. Estudios de identidad cultural cubana y latinoamericana*: Centro de Investigación y Desarrollo de la Cultura Cubana Juan Marinello, La Habana.

VICTORY RAMOS, MA. DEL CARMEN (2000): "El etnos nación cubano entre tradición y modernidad. Proyectos institucionales y productos" en Vera Estrada (Ed.) (2000).

VINCENT, MAURICIO (2005): "El ritmo más duro de Cuba" en *El País Semanal*, nro. 1486: 20 de marzo de 2005, Madrid.

UNEAC y Universidad de La Habana (1995): *Cuba: Cultura e Identidad Nacional*. Memorias del encuentro Cuba: Cultura e Identidad Nacional, Ciudad de La Habana, Cuba, 23 y 24 de junio de 1995: Ediciones Unión, Ciudad de La Habana.

WINOCUR, MARCOS (1987): *Las clases olvidadas de la Revolución cubana*: Contrapunto, Buenos Aires.

YACOU, ALAIN (1989): *Historia, historiografía e identidad cultural: etnicidad e integración nacional en Cuba*: s.n., Caracas.

ZAMORA CÉSPEDES, BLADIMIR (2004): "Di que sí" en *El Caimán Barbudo*: julio-agosto de 2004, año 38, nro. 323: Ciudad de La Habana.

ZAMORA FERNÁNDEZ, ROLANDO (2000): "Notas para un estudio de la identidad cultural cubana" en Vera Estrada (2000) (Ed.).

Sobre aspectos teóricos y metodológicos

AGGER, BEN (1992): *Cultural Studies as Critical Theory*: The Falmer Press, Londres, Washington.

AMID-TALAI, VERED Y HELENA WULFF (Eds.) (1995): *Youth Cultures. A Crosscultural Prespective*: Routledge, Londres y Nueva York.

APPADURAI, ARJUN (1996): *Modernity at Large: Cultural Dimensions of Globalization*: University of Minnesota Press. Minneapolis

ASSAYAG, JACKIE (1998): "La culture comme fait social global?" en *L'Homme. Revue française d'anthropologie*: nro. 148, octubre-diciembre, 1998, París.

BAETENS, JAN Y JOSÉ LAMBERT (Eds) (2000): *The Future of Cultural Studies. Essays in Honour of Joris Vlasselaers*: Leuven University Press, Leuven.

BAMYEH, MOHAMMED A (1993): "Transnationalism" en *Current Sociology*, vol 41, p. 3, Sage, Londres.
BENNETT, ANDY (2000): *Popular Music and Youth Culture. Music, Identity and Place*: Palgrave, Hampshire.
BERTALANFFY, LUDWIG VON (1973): *Theórie Générale des Systèmes*: Dunod, París.
BIGSBY, C. W. E. (1976): *Approaches to Popular Culture*: Bowling Green University Popular Press, Bowling Green, Ohio.
BLÁUBERG, IGOR VIKTOROVICH (1977): *Systems Theory: Phylosophical and Methodological Problems*: Progreso, Moscú.
BOURDIEU, PIERRE (1990): *In Other Words. Essays Towards a Reflexive Sociology*: Polity Press, Cambridge.
------------------ (1984): *Distinction. A Social Critique of the Judgement of Taste*: Routledge y Kegan Paul, Londres.
BOUVIER, PIERRE (1998a): "Enjeux disciplinaires. La Sociologie et l'anthropologie autour des figures du même et de l'autre. XIXe-XXe siècles". Conferencia dictada en el curso de verano Las Ciencias Sociales y el Caribe, en la Universidad Antillas-Guyana, Schoelcher, Martinica el 21 de julio de 1998.
BRAKE, MICHAEL (1987): *Comparative Youth Cultures: The Sociology of Youth Culture and Youth Subcuture in America, Britain and Canada*: Routledge y Keagan Paul, Londres.
BRISLIN, RICHARD W. (1981): *Cross-cultural Encounters. Face-to-Face Interaction*: Pergamon Press, Nueva York.
BRITTO GARCÍA, LUÍS (2005): *El imperio contracultural: del rock a la postmodernidad*: Editorial Arte y Literatura, Ciudad de La Habana.
BROMLÉI, YULIAN (1986): *Etnogfrafía teórica*: Editorial Nauka, Moscú.
------------------ (1973a): "Estudios etnográficos en la URSS", en *Ciencias Sociales*: vol. 2, nro. 12, Moscú.
------------------ (1973b): *Etnos y etnografía*: Editorial Nauka, Moscú.
BRYN, JONES (19??): "The politics of popular culture", en Centre for Contemporary and Cultural Studies (CCCS): *Stencilled Occasional Papers*: University of Birmingham, Birmingham.
CLIFFORD, JAMES (1992): "Travelling Cultures" en Grossberg, Nelson y Treichler (Eds.) (1992).

COHEN, STANLEY (1980): "Symbols of Trouble" en Ken Gelder y Sarah Thornton (1997): *The Subcultures Reader*: Routledge, Londres y Nueva York.

COLOMBRES, ADOLFO (Ed.) (1982): *La cultura popular*: Premia Editora, Puebla.

CHERNOFF, JOHN M. (1979): *African Rhythms and African Sensibility: Aesthetics and Social Action in African Musical Idioms*: University of Chicago Press, Chicago.

DENNING, MICHAEL (2004): *Culture in the Age of Three Worlds*: Verso, Londres y Nueva York.

DENT, GINA (Ed.) (1992): *Black Popular Culture*: Bay Press, Seatle.

DOCKER, JOHN (1995): *Postmodernism and Popular Culture: A Cultural History*: Cambrige University Press, Cambrige.

DORFMAN, ARIEL Y ARMAND MATTELART (1973): *Para leer al Pato Donald*: Siglo XXI, Buenos Aires.

DURING, SIMON (Ed.) (2000): *The Cultural Studies Reader*: Routledge, Londres.

EPSTEIN, JONATHON S. (ed.) (1999): *Youth Culture. Identity in a Post Modern World*: Blackwell Publishers, Massachusetts y Oxford.

ESPINOSA, MAGALY (2003): *Indagaciones. El Nuevo Arte Cubano y su estética*: Ediciones Almargen, Pinar del Río.

------------------ (Ed.) (1991): *Estética y Arte*: Pueblo y Educación, La Habana.

FEATHERSTONE, MIKE (Ed.) (1995): *Global Culture. Nationalism, Globalization and Modernity*: Sage Publications, Londres, Thousand Oaks CA y Nueva Delhi.

FISKE, JOHN (1992): "Cultural Studies and the Culture of Everyday Life" en Grossberg, Nelson y Treichler (Eds.) (1992).

------------------ (1989b): *Understanding Popular Culture*: Unwin Hyman, Boston, Londres.

------------------ (1989a): *Reading the Popular*: Unwin Hyman, Boston.

FORNÄS, JONAN Y GORAN BOLIN (Eds.) (1995): *Youth Culture in Late Modernity*: Sage Publications, Londres, Thousand Oaks, CA.

GARCÍA ALONSO, MARITZA Y CRISTINA BAEZA MARTÍN (1996): *Modelo teórico para la identidad cultural*: Centro de Investigación y Desarrollo de la Cultura Cubana Juan Marinello y Editorial José Martí, Ciudad de La Habana.

GARCÍA CANCLINI, NESTOR (2001): *Culturas híbridas: Estrategias para entrar y salir de la Modernidad*: Editorial Grijalbo, México.

------------------ (1995): *Hybrid Culture: Strategies for Entering and Leaving Modernity*: University of Minessota Press, Minneapolis.

------------------ (1986): *¿De qué estamos hablando cuando hablamos de lo popular?*: CLAEH, Buenos Aires.

------------------ (1981): *Las culturas populares en el capitalismo*: Casa de las Américas, Ciudad de La Habana.

GELDER, KEN Y SARAH THORNTON (1997): *The Subcultures Reader*: Routledge, Londres y Nueva York.

GLISSANT, EDWARD (2000): *The Poetics of Relation*: University of Michigan Press, Ann Arbor.

GORDON, MILTON M. (1947). "The Concept of the Subculture and its Application" en Gelder y Thornton (1997).

GROSSBERG, LAWRENCE, CARY NELSON Y PAULA TREICHLER. (Eds.) (1992): *Cultural Studies*: Routledge, Londres.

GUTMAN, AMY (Ed.) (1994): *Multiculturalism*. Princetown University Press, Princetown, Nueva Jersey.

HALL, STUART (1995): "New Ethnicities" en Bill Ashcroft *et al*: *The Post-Colonial Studies Reader*: Routledge, Londres, Nueva York.

------------------ (1992a): "What is Black in Black Popular Culture" en Gina Dent (Ed.) (1992).

------------------ (1992b): "Cultural Studies and its Theoretical Legacies" en Grossberg, Nelson y Treichler (Eds.) (1992).

HALL, STUART Y MARTIN JACQUES (Eds.) (1989): *New Times. The Changing Face of Politics in the 1990's*: Lawrence and Wishart, Londres.

HANNERS, ULF. (1996): *Transnational Connections*: Routledge, Londres.

HARDWICK, C. D. (1973): "The Counterculture as Religion: on the Identification of Religion" en *Soundings. An Interdisciplinary Journal*: nro. 56, p. 3, Nashville.

HEBDIGE, DICK (1979): *Subculture: The Meaning of Style*: Methuen, Co. Ltd.

HOUTART, FRANÇOIS (1998): "Religión y movimientos de cambio social a las puertas del tercer milenio". Conferencia dictada en el II Seminario de Estudios Sociorreligiosos: Grabación y transcripción por el DESR-CIPS, Ciudad de La Habana, julio de 1998.

KLUCKHOHN, CLYDE Y W. H. KELLY (1945): "The Concept of Culture" en Ralph Linton (Ed.): *The Science of Man in the World of Crisis*: Columbia University Press, Nueva York.

LOCHER, DAVID A. (1999): "The Industrial Identity Crisis: The Failure of a Newly Forming Subculture to Identify itself" en Epstein (Ed.) (1999).

LOFLAND, JOHN Y LYN LOFLAND (1984): *Analyzing Social Setting; a Guide to Qualitative Observation and Analysis*: 2da. ed., Wadsworth, Belmont, CA.

MARTIN-BARBERO, JESÚS (1996): *Pretextos. Conversaciones sobre la comunicación y sus contextos*. Editorial Universidad del Valle, Cali.

------------------ (1991): *Teoría, investigación y producción en la enseñanza de la Comunicación*. Editorial Pablo de la Torriente, La Habana.

------------------ (1987): *De los medios a las mediaciones*: Barcelona.

MATTELART, ARMAND (1989): *La cultura como empresa multinacional*: Ediciones Era, México D.F.

------------------ (1977): *Multinacionales y sistemas de comunicación*: Siglo XXI Editores S.A., México D.F.

MCLUHAN, M. (1989): *The Global Village*: Oxford University Press, Nueva York.

MCROBBIE, ANGELA (1995): *Postmodernism and Popular Culture*: Routledge, Nueva York.

MUÑOZ-HIDALGO, MARIANO (2003): *El cuerpo en-cantado: de la antigua canción occidental al canto popular en Cuba y Chile*: USACH, Santiago de Chile

NACHBAR, JACK Y KEVIN LAUSE (1992): *Popular Culture: An Introductory Text*: Ohio, Bowling Green State University Popular Press, Bowling Green, Ohio.

NELSON, CARY Y LAWRENCE GROSSBERG (1988): *Marxism and the Interpretation of Culture*: University of Illinois Press, Urbana y Chicago.

Ortiz, Fernando (1975): *El engaño de las razas*: Ciencias Sociales, La Habana, 1975.

Reimer, Bo (1995): "Youth and Modern Lifestyles" en Fornäs y Goran (Eds.) (1995).

Robertson, Roland (1996): *Globalization: Social Theory and Global Culture*: Sage, London, Thousand Oaks y New Delhi.

Rodriguez Espulgas, Lucía (1995): *Consideraciones teóricas acerca de la Nueva Canción*. Folleto de Teoría y Crítica de Arte: Ideas Zeta, UNEAC, La Habana.

Russell Bernard, H. (Ed.) (2000): *Handbook of Methods in Cultural Anthropology*. Altamira Press, Wallnut Creek, California.

Sánchez, Mary (1975): *Sociocultural Dimensions of Language Use*: Academic Press, Nueva York.

Schroeder, Fred E. H. (Ed.) (1980): *5000 Years of Popular Culture: The Discovery of Popular Culture Before Printing*: Bowling Green University Popular Press, Bowling Green, Ohio.

Schutt, Russell K. (1999): *Investigating the Social World: The Process and Practice of Research* (2da. ed.): Pine Forge Press Series, California.

Shiach, Morag (Ed.) (1986): *The Concept of "the Popular" in Cultural Analysis*: McGuill University, Montreal.

Shuker, Roy (1994): *Understanding Popular Music*: Routledge, Londres y Nueva York.

Stavenhagen, Rodolfo (1982): "La cultura popular y la creación intelectual" en Colombres (Ed.) (1982).

Storey, John (1997). (1996): *Cultural Studies and the Study of Popular Culture. Theories and Methods*: University of Georgia Press, Athens.

Strinati, Dominic (1995): *An Introduction to Theories of Popular Culture*: Routledge, Londres y Nueva York.

Tillich, Paul (1978): *Theology of Culture*: Oxford University Press, Nueva York.

Torre, Carolina De la (2002): "Identidad e identidades" en *Temas*: nro 28, enero-marzo de 2002.

Varela Barraza, Hilda (1985): *Cultura y resistencia cultural. Una lectura política*: Ediciones El Castillito, México, D.F.

VERED, AMID-TALAI Y HELENA WULFF (Eds.) (1995): *Youth Cultures: A Cross-cultural Perspective*: Routledge, Londres y Nueva York.
VLASSELAERS, JORIS Y JAN BAETENS (Eds.) (1996): *Handboek Culturele Studies. Concepten, Problemen, Methoden*: Acco, Leuven.
WEST, CORNEL (2002): "Las nuevas políticas culturales de la diferencia" en *Temas*: nro. 28, enero-marzo de 2002.

Fuentes audiovisuales

ARMAS, TAMARA M. (2004): *Mística Natural*: Facultad de Medios Audiovisuales, ISA, La Habana.
BLACK, STEPHANIE (2003): *Life and Debt*: New Yorker Film Artworks DVD.
COLLINS, MICHAEL (1983): *Peter Tosh Captured Live*: Picture Music International.
COOPER, CAROLYN (1994): "From Reggae to Ragga. What's left of the protest" en *Reggae Seminar Series*. Conferencia grabada por Radio and Education Unit, Institute of Caribbean Studies, UWI, Mona, 19 de noviembre de 1994.
MENDELL , JO Y CHARLES CHABOT (1986): *The Bob Marley Story. A Documentary on the Life of Bob Marley*: Island Visual Arts/ BBC, Nueva York.
PEREIRA, JOE (1994): "Translation or Transformation: Reggae goes Spanish" in *Reggae Studies Center Lecture Series*. Library of the Spoken Word, University of the West Indies, Mona. Nov. 25, 1994.

Fuentes de referencia

APPIAH, KWAME ANTHONY Y HENRY LOUIS GATES (Jr.) (Eds.) (1999): *The Dictionary of Global Culture*: Vintage Books, Nueva York.
BROOKER, PETER (1999): *A Concise Glossary of Cultural Theory*: Arnold, Londres.
Centro de Investigación y Desarrollo de la Cultura Cubana Juan Marinello, Centro de Antropología y Centro de Informática y

Sistemas Aplicados a la Cultura (2000): *Atlas Etnográfico de Cuba. Cultura popular tradicional*. Edición en CD-ROM: La Habana.

La Santa Biblia. Antiguo y Nuevo Testamento. Antigua Versión de Casiodoro de Reina (1569): Sociedades Bíblicas Unidas, México, D.F., 1991.

Manigat, Leslie (Ed.) (1977): *The Caribbean Yearbook of International Relations (1976)*: Sijthoof, Trinidad y Tobago.

O'Sullivan, Tim *et al.* (1994): *Key Concepts in Communication and Cultural Studies*: Routledge, Nueva York.

Rosental, M. y P. Iudin (1973): *Diccionario filosófico*: Editora Política, La Habana.

Del autor

Furé Davis, Samuel (2000a): *Cantos de Resistencia*: Colección Pinos Nuevos, Letras Cubanas, Ciudad de La Habana.

------------------ y Velma Pollard (2006a): "Imported Topics with Foreign Vocabularies: Dread Talk, the Cuban Connection" en *Small Axe*: nro. 19, marzo de 2006, Kingston.

------------------ (2006b): "Repensando conexiones interculturales: lo 'afro' en la cultura Rastafari en Cuba" en *Revolución y Cultura*, nro. 3, jul-sep., 2006, La Habana.

------------------ (2006c): "El reggae cubano entre lo Trasgresor y lo Popular" en *Clave. Revista de Música Cubana*, nro. 8, p. 2, 2006, Centro de Investigación y Desarrollo de la Música Cubana, La Habana.

Impreso en la Empresa Gráfica "Juan Marinello"
en el mes de Junio de 2011.
"Año 53 de la Revolución"

1 000 ejemplares